はじめに

島々を囲む青い海、白砂のビーチ、エメラルドグリーンのサンゴ礁、貴重な動物たちの棲むヤンバルの森、エキゾチックな沖縄料理、独特の琉球言葉・舞踊・音楽——沖縄の豊かな自然と文化は、内外の多くの観光客を引き寄せずにはおかない。

しかし、沖縄の持つ悲惨な戦争の記憶や、今なお続く基地との闘いに、沖縄を訪れるどれほどの人が関心を持っているだろう。

そうした沖縄の歴史と現状は、日本本土の身代わりになることでもたらされたものである。戦後の日本の繁栄は、沖縄の苦しみを抜きには語れないのだ。

本書は、古代からの沖縄の歴史を概観するとともに、激烈な地上戦が行われた沖縄戦と、戦後27年間にわたって米軍政下に置かれ、本土復帰後も米軍基地が集中し続け、普天間飛行場の移設問題をはじめ、様々な基地問題を抱える沖縄の現状を、写真や資料を多用しながら、紹介したものである。

修学旅行生をはじめ、沖縄を訪問するできるだけ多くの人に、この本を通じて、沖縄が歩んできた「苦難の道」を知ってもらい、これから[illegible]の在り方を考える一助にしていただけるなら、幸いである。

万座毛　©OCVB

目次

はじめに ………………………… 1
アジアの中の沖縄〈沖縄県のデータ〉……… 4
沖縄県域拡大マップ ……………… 7
沖縄戦経過図 …………………… 23
沖縄米軍施設配置図 ……………… 32
日本本土の米軍施設配置図 ………… 47
沖縄戦関連年表 ………………… 82
沖縄米軍基地関連年表 …………… 83
関係資料一覧(参考・関連文献／参考映画)…86
おわりに ………………………… 80
奥付 ……………………………… 88

第一章 沖縄の風土 ……………6

(1)島々 ………………………… 6
(2)気候 ………………………… 7
①気温 ②雨量 ③台風
(3)自然 ………………………… 8
(4)産業と交通 ………………… 9

第二章 沖縄の慰霊施設 ……… 11

沖縄県平和祈念資料館／平和の礎／沖縄平和祈念堂 ……………………… 11
ひめゆりの塔／ひめゆり平和祈念資料館 ……………………………… 12
対馬丸記念館 ………………… 12
佐喜眞美術館 ………………… 13

第三章 沖縄の歴史(近代まで) … 14

(1)沖縄人はどこから来たか ……… 14
(2)グスクの時代 ……………… 14
(3)琉球王国 …………………… 15
(4)薩摩藩による支配 …………… 16
(5)琉球処分 …………………… 17
(6)沖縄の近代化 ……………… 18

第四章 沖縄と戦争 …………… 19

(1)太平洋戦争 ………………… 19
①日中戦争から日米開戦へ ……… 19
②不沈空母にされた沖縄 ……… 20
「帝国陸海軍作戦計画大綱」……… 21
(2)沖縄戦 ～国内唯一の地上戦～ ……… 22
①米軍上陸 …………………… 22
②本島中部戦線 ……………… 22
③本島南部での最終決戦 ……… 24
④集団自決 …………………… 25
⑤学徒隊と護郷隊 …………… 26
⑥ひめゆり学徒隊 …………… 27
⑦特攻隊 ……………………… 29
⑧島々の戦い ………………… 29

第五章　沖縄と基地 …………………… 31

（1）沖縄米軍基地の現状
～全国の7割が集中～ ……………………31

（2）米軍基地はいつから始まったか
～沖縄戦での基地建設～ …………………34

（3）戦後の沖縄分離と米軍政
～戦争が終わっても無くならなかった基地～ …35

「若干の外部地域を政治上行政上日本から分離することに関する覚書（SCAPIN677／1）第3項及び第4項」…………………………37

（4）冷戦の進行と沖縄～太平洋の要石に～ ……38

（5）朝鮮戦争と沖縄
～沖縄から米軍機が発進～ ………………40

（6）サンフランシスコ講和条約
～本土から切り離された沖縄～……………41

■旧安保条約と行政協定 …………………42

（7）土地収用をめぐる「島ぐるみ闘争」
～プライス勧告への住民の怒り～ …………43

（8）本土から沖縄への海兵隊移駐
～基地が倍増～ ………………………………45

（9）沖縄と核～隠されていた核配備～ ………49

（10）日米安全保障条約
～対象外となった沖縄～ …………………50

「日米安全保障条約第6条」 ………………51

（11）キューバ危機とベトナム戦争
～緊迫する沖縄の米軍基地～ ……………52

（12）本土復帰～しかし、基地は減らなかった～…55

■復帰運動 ……………………………………56

■軍用地提供 …………………………………58

■自衛隊の沖縄配備 …………………………59

■様々な密約 …………………………………60

（13）ベトナム戦争終結と沖縄
～それでも減らない基地～ ………………61

（14）冷戦後の沖縄～やっぱり減らない基地～ …62

第六章　沖縄の基地問題 …………… 66

（1）日米地位協定（1960）と沖縄
～進まない改定作業～ ……………………66

■米軍関係者による傷害事件 …………66

■米軍関係の事故・環境汚染 …………67

「日米地位協定17条（3項及び5項抜粋）」… 67

■思いやり予算 ……………………………69

（2）基地をめぐる訴訟 ………………………71

■砂川基地訴訟 ……………………………71

■爆音訴訟 …………………………………72

■沖縄代理署名訴訟 ………………………72

（3）普天間飛行場移設問題
～強行される辺野古新基地建設～ ………73

（4）日米安保及び基地問題をめぐる日本の世論 ……………………………………………76

（5）基地問題をめぐる新たな動き ……78

■続出する全国の自治体からの意見書 …78

■基地の跡地利用計画 ……………………79

コラム

首里城…………………………………………16

集団自決をめぐる訴訟………………………26

ドラマ化されたひめゆり隊 …………………28

外国における米軍基地………………………39

海兵隊とはいかなる軍隊か …………………48

国連委員会による勧告………………………58

外国での地位協定 ……………………………70

アジアの中の沖縄

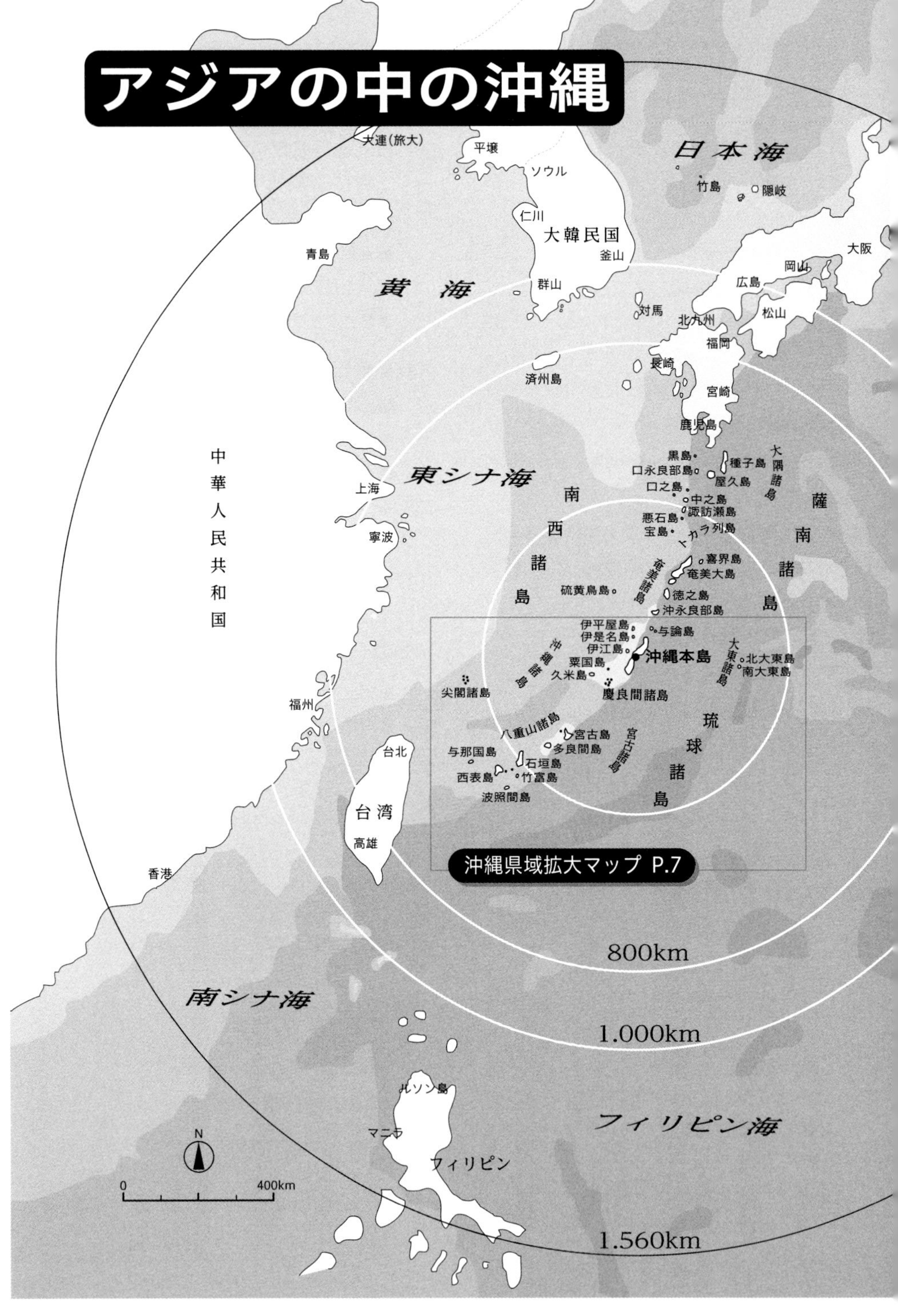

大連（旅大）
平壌
ソウル
日本海
竹島
隠岐
仁川
大韓民国
釜山
青島
大阪
岡山
群山
広島
黄海
松山
対馬
北九州
福岡
長崎
済州島
宮崎
鹿児島
中華人民共和国
黒島
種子島
大隅諸島
口永良部島
屋久島
東シナ海
上海
口之島
中之島
南西諸島
諏訪瀬島
薩南諸島
悪石島
宝島
トカラ列島
寧波
喜界島
奄美諸島
奄美大島
硫黄鳥島
徳之島
沖永良部島
伊平屋島
与論島
伊是名島
伊江島
沖縄諸島
沖縄本島
大東諸島
北大東島
粟国島
南大東島
久米島
尖閣諸島
慶良間諸島
福州
八重山諸島
宮古島
琉球諸島
台北
与那国島
多良間島
宮古諸島
石垣島
西表島
竹富島
波照間島
台湾
高雄
沖縄県域拡大マップ P.7
香港
800km
南シナ海
1.000km
ルソン島
フィリピン海
N
マニラ
フィリピン
0
400km
1.560km

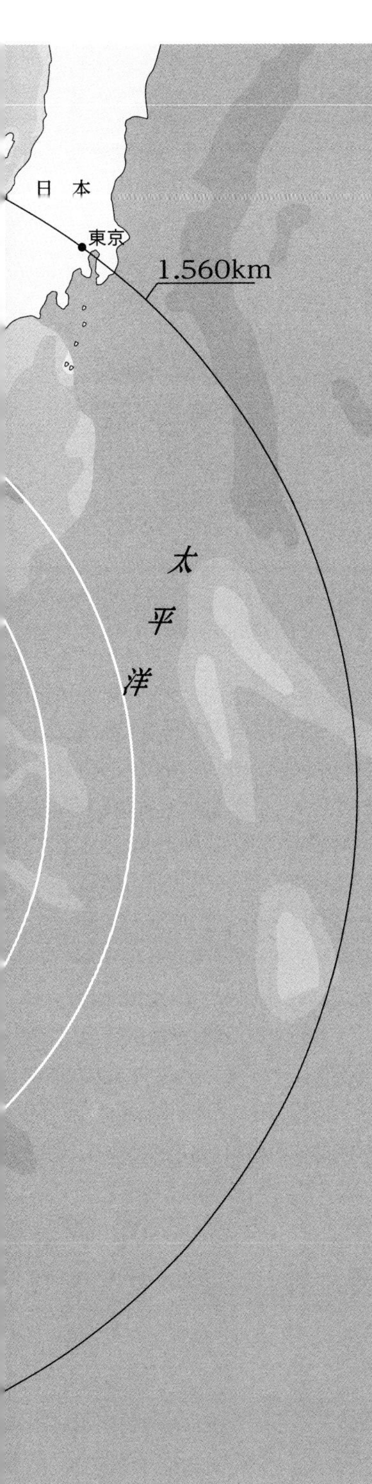

〈沖縄県のデータ〉

■位置

最東端　北大東村真黒岬（まぐろみさき）
東経131度19分56秒　北緯25度57分05秒

最西端　与那国町西崎
東経122度56分01秒　北緯24度26分58秒

最南端　竹富町波照間島（はてるまじま）
東経123度47分18秒　北緯24度02分44秒

最北端　久米島町硫黄鳥島（いおうとりしま）
東経128度13分20秒　北緯27度53分08秒

■面積　2,281.00㎢（全国47都道府県の中で44位）
■人口　1,458,086人（同25位）〈2020年8月1日推計〉
■人口密度　639.23人／㎢（同9位）
■市町村数　市11　町11　村19　計41
■県庁所在地
那覇市　東経127度40分51秒　北緯26度12分44秒
人口321,088人〈2020年7月末推計〉
■年平均気温　23.1℃（那覇市）
■年間降水量　2,040mm（那覇市）
■年平均湿度　74%（那覇市）
■最高点　526m（石垣島於茂登岳（おもとだけ））
■県の花　デイゴ
■県の木　リュウキュウマツ
■県の鳥　ノグチゲラ
■県の魚　タカサゴ
■沖縄県慰霊の日　6月23日

第一章 沖縄の風土

上空から見た久米島（©OCVB）

日本の南西端に位置する沖縄県は、北緯24度から27度、東経122度から131度付近に散らばる、大小160の島々からなる。その範囲は東シナ海と太平洋にまたがり、南北約400㎞、東西700㎞に及ぶ。

県域としては全国47都道府県の中で1位の広さだが、県土の面積は2,281㎢で、全国44位（東京都、大阪府、香川県よりは広い）。2019（令和元）年における県人口は約145.4万人で、全国25位。数少ない人口増加県である。

(1)島々

沖縄県の島嶼（とうしょ）は、九州島南方から台湾北東に連なる南西諸島の南西部に属し、北から南西に向けて、沖縄諸島、宮古（みやこ）諸島、八重山（やえやま）諸島が並び、沖縄諸島のはるか東海上に大東（だいとう）諸島が浮かぶ。沖縄諸島は、沖縄本島をはじめ、慶良間（けらま）諸島・久米島（くめじま）・伊江島（いえじま）・粟国島（あぐにじま）などからなり、沖縄本島は県内で最も大きな島（1,207㎢）である。

宮古諸島は、宮古島・伊良部島（いらぶじま）・多良間島（たらまじま）・下地島（しもぢじま）などからなり、いずれも国内有数の美しいビーチ（イチャンダビーチ）が見られる。

八重山諸島は、石垣島・西表島（いりおもてじま）・竹富島（たけとみじま）・波照間島（はてるまじま）・与那国島（よなくにじま）などからなり、沖縄県の南西端に位置する。ちなみに与那国島から真西にある台湾までの距離はわずか110km。500㎞以上離れた沖縄本島よりもはるかに近い。

沖縄県内には41の市町村があり、沖縄本島南西部の那覇（なは）市に県庁が所在する。

石垣島川平湾（©OCVB）

(2)気候

沖縄県の気候は、亜熱帯海洋性気候に属し、夏は南東風、冬は北東風が卓越する。

①気温

黒潮(日本海流)の影響を受けて、冬でも暖かく、気温が10℃以下になることはない。一方で、海洋性気候のため、真夏でも35℃以上の猛暑日は稀(まれ)である。那覇市での年平均気温は23.1℃。一番気温の上がる7月の平均最高気温は32.6℃、一番気温の低い1月の平均最低気温は14.6℃である。年平均の湿度は74%と高く、全般的に高温多湿な気候といえる。

②雨量

年間を通じて降水量は多い。那覇市の年間降水日数は100日を超え、年間降水量は2,040mmであり、月間降水量が100mmを下回ることはほとんどない。

③台風

南洋海上で発生し、西進する台風が太平洋高気圧に沿う形で、北方向へ転向する進路に当たっているため、毎年夏秋に台風が襲来する。その数は年平均7~8回に及び、特に宮古、八重山諸島は「台風銀座」と呼ばれるほどの台風常襲地である。

1966(昭和41)年9月の第2宮古台風

赤瓦屋根の民家(沖縄本島)(©OCVB)

1972年11月のフローラ台風によるガーブ川(那覇市)の氾濫
(那覇市歴史博物館 提供)

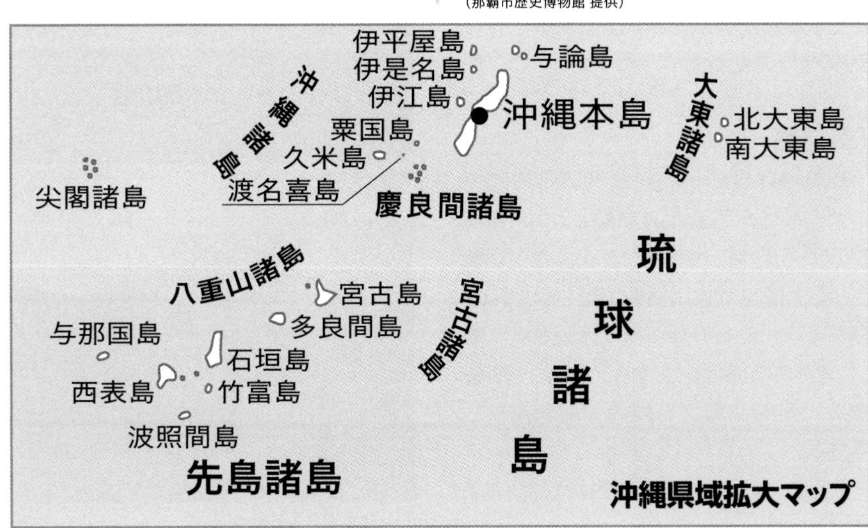

石垣に囲まれた沖縄の家屋（上：渡名喜島、下：竹富島）（©OCVB）

では、宮古島で最大瞬間風速85.3mという日本の観測史上最大の暴風を記録した。また2015（平成27）年9月の台風21号では、与那国島で81.1mを記録している。

当地では、家屋を囲むフクギ・カジュマルの防風林や石垣、赤瓦を漆喰で塗り込んだ屋根など台風対策による風景が見られる。

(3) 自然

沖縄の島々は、「高島」と「低島」の二つのタイプに分けられる。「高島」は山があることから山地島とも呼ばれ、大陸から分離された大陸島や火山活動で誕生した火山島がある。約100万年前に大陸から分離したとされるのは、北から久米島、渡嘉敷島、座間味島、石垣島、西表島などである。

「低島」は、台地島とも呼ばれ、サンゴや有孔虫、石灰藻などの生物が作り出した石灰岩（琉球石灰岩）でできた島で、伊江島、宮古諸島、竹富島、波照間島などである。これらの島は、標高が低いため、川がほとんどない。

沖縄本島は、北部は山岳地帯（山原）であるが、中南部は台地状であり、「高島」と「低島」が合体した形になっている。沖縄本島の中南部には、石灰岩でできた鍾乳洞が2,000ほどもあり、「ガマ」と呼ばれ、古くから風葬の場として利用されてきたが、沖縄戦時には、住民や日本兵の避難場所となり、集団自決など多くの悲劇が発生した。

北部の山原は、沖縄本島の最高峰の与那覇岳（標高503m）をはじめ、低い山が連なり、沖縄戦では組織的戦闘の終了後も、日本軍の残存兵が潜み、数ヵ月にわたってゲリラ戦が展開された。なお、沖

鍾乳洞（石垣島）（©OCVB）

マングローブの森（石垣島）（©OCVB）

やんばる国立公園(沖縄本島北部)の常緑広葉樹林(©OCVB)

縄県における最高峰は、やはり「高島」の石垣島にある於茂登岳(おもとだけ)(標高526m)である。

亜熱帯気候に属する沖縄県は、亜熱帯樹林帯の分布域で、山地にはシイなどの常緑広葉樹林が広がり、低地や海岸付近にはマングローブやカジュマルの森が見られる。それらの森林は植物の多様性に富み、シダ類を含め植物の種類は2,000種ほどに上り、うち沖縄だけの固有種が100以上存在するといわれる。

沖縄といえば、美しいサンゴ礁が連想されるが、サンゴとは刺胞(しほう)動物門花虫綱(かちゅうこう)に属する動物である。世界のサンゴの種類は700~800と言われているが、沖縄は「高島」、「低島」に関わらずサンゴに恵まれ、石垣島・西表島など八重山諸島だけでも360種類が確認されている。

陸上の動物についても、イリオモテヤマネコ、ヤンバルクイナ、ノグチゲラ、ヤンバルテナガコガネなど固有種が多く、「東

海中のサンゴ(八重山諸島)(©OCVB)

イリオモテヤマネコ(©OCVB)

ヤンバルクイナ(©OCVB)

洋のガラパゴス」と呼ばれるゆえんである。これは、沖縄が大陸と地続きであった時に棲(す)んでいた生物が、大陸では絶滅したにもかかわらず、大陸から切り離された沖縄の島々では、天敵が少ないことなどから、生き残ったためと考えられている。

(4)産業と交通

沖縄県では、戦前はサトウキビ栽培を中心とする農業が盛んだったが、戦後は農地の多くを米軍基地に強制収容されたこともあって衰退し、現在は、公共事業、基地関連、観光が県の収入の多くを占め、「3K経済」と呼ばれている。

特に観光は、2000(平成12)年12月に「琉球王国のグスク及び関連遺産群」が世界遺産に登録されたこともあり、2018(平成30)年の観光客数は958万人に達している。

また、米軍基地への経済的な依存を減らすため、新しい産業の開拓も進み、ゴー

戦前のサトウキビの刈り取り風景
（赤嶺喜之助所蔵（『大琉球写真帖』より）那覇市歴史博物館提供）

ヤ茶や発酵ウコンなどの健康食品、海水用水発電などの環境エネルギー、金融特区を背景とする金融ビジネスなどが注目を浴びている。

沖縄県への交通アクセスとしては、日本各地の空港から那覇空港へ飛行機が飛んでいる。県内には民間航空機が利用する13の飛行場があり、那覇からは、宮古島、石垣島、与那国島、久米島、北大東島、南大東島へ飛行機での移動が可能である。

さらに、宮古島～多良間島（たらまじま）、宮古島～石垣島、石垣島～与那国島、北大東島～南大東島には、それぞれ飛行機便がある。もっとも、航空機の利用が本格化するのは1970年代以降であり、それまではもっぱら船舶が使用された。今も、西表島へは石垣島からフェリーか高速船での移動となる。

沖縄本島では、大正から昭和初期にかけて、路面電車や蒸気機関車の走ったこともあるが、乗合バスとの競合等から、いずれも終戦までに廃止された。現在は、沖縄都市モノレール（ゆいレール）が「那覇空港」から「てだこ浦西（うらにし）」までの17.0kmを結んでおり、那覇市や浦添（うらぞえ）市の観光スポット間の移動に便利である。那覇から中部の許田（きょだ）（名護市）までは高速道路（沖縄自動車道）が通じており、レンタカーや高速バスが利用できる。

沖縄都市モノレール（©OCVB）

那覇空港コンコース（©OCVB）

沖縄自動車道

戦前に那覇を走っていた電車（那覇市歴史博物館 提供）

第二章 沖縄の慰霊施設

沖縄県平和祈念資料館／平和の礎／沖縄平和祈念堂

〈沖縄県糸満（いとまん）市摩文仁（まぶに） 沖縄県平和祈念公園内〉

沖縄県平和祈念資料館は、2000（平成12）年4月、沖縄戦が終結した地である摩文仁の丘に、「沖縄戦で犠牲になった多くの霊を弔（とむら）い、沖縄戦の歴史的教訓を正しく次代に伝えるとともに、全世界の人々に沖縄の心を訴え、恒久平和の実現に寄与するため、県民個々の戦争体験を結集して」設立された。

1階の「未来を展望するゾーン」は平和を創造する学習の場であり、2階の「歴史を体験するゾーン」は、実物資料、証言集、写真、模型、レプリカなどで、沖縄戦の実態が感じ取れるようになっている。

また、平和祈念公園内にある「平和の礎（いしじ）」には、国籍や軍人、民間人を問わず、沖縄戦で戦死した犠牲者23万8,000人余の氏名が刻まれており、1995（平成7）年の建立以降、毎年のように刻銘者が追加されている。「平和の礎」そばの広場では、毎年6月23日の「慰霊の日」に沖縄全戦没者追悼式が行われる。

沖縄県平和祈念資料館（©OCVB）

平和の礎（©OCVB）

同じく平和祈念公園内にある「沖縄平和祈念堂」には、沖縄出身作家の手になる「沖縄平和祈念像」や、趣旨に賛同する画家の作品などが展示されている。

また、沖縄平和祈念堂の北側には、沖縄戦で散った学徒隊ら少年たちの死を悼み、佐藤忠良氏が製作した、高さ1.6mの「少年」の像が立つ。

「少年」の像と平和祈念堂（©OCVB）

ひめゆりの塔／ひめゆり平和祈念資料館

〈沖縄県糸満市伊原（いはら）〉

「ひめゆりの塔」は、沖縄戦において看護要員として240名が動員され、その半数以上が戦場で亡くなったひめゆり学徒隊（沖縄県立第1高等女学校の女学生らが中心）の鎮魂のため、終戦翌年の1946（昭和21）年4月、沖縄戦末期に彼女たちが働いた沖縄陸軍病院第3外科の置かれていた壕（ごう）の跡に建立された。

1989（平成元）年6月には、ひめゆり学徒隊の戦争体験を伝えるため、ひめゆりの塔の西側に「ひめゆり平和祈念資料館」が開設された。第1から第6まである展示室では、戦争前の学校での生活や、沖縄陸軍病院での看護の様子、解散命令後の「死の彷徨（ほうこう）」について紹介されており、また、亡くなったひめゆり学徒200余名の遺影や遺品、生存者の証言映像や手記が展示されているほか、第3外科壕が実物大で再現されている（P27参照）。

ひめゆり平和祈念資料館（©OCVB）

対馬丸（つしままる）記念館

〈沖縄県那覇市若狭（わかさ）〉

1944（昭和19）年8月22日、米軍潜水艦の魚雷攻撃で沈められ、約1,500名が亡くなった学童疎開船「対馬丸」の悲劇を後世に伝えるため、2004（平成16）年8月に開館した。名前の分かっている犠牲者は、学童784名を含む1,484名で、当初日本軍による箝口令（かんこうれい）が布（し）かれたため、犠

ひめゆりの塔（©OCVB）

対馬丸記念館(©OCVB)

小桜の塔(©OCVB)

牲者の把握が遅れ、戦後70年を過ぎても新たな犠牲者の届け出があるという。

当記念館では、対馬丸の出港から撃沈、漂流に至る記録や、生存者の証言、200人以上の学童の遺影などが展示されている。生存者や遺族が「語り部」として、対馬丸事件について語る講話も行われている。

また、同記念館の近くに那覇港を臨んで、犠牲になった子供たちのための慰霊塔である「小桜の塔」が、1954(昭和29)年5月5日の子どもの日に設置された(P20参照)。

佐喜眞美術館〈沖縄県宜野湾市上原〉

一部返還された普天間飛行場の用地に、1994(平成6)年11月に開館した私設美術館である。常設展では、丸木位里・俊夫妻の描いた「沖縄戦の図」が公開されている。この絵には、地上戦を国内唯一体験した沖縄の人々に沖縄戦のことを教えてもらいながら、戦争で人間がどのように破壊されるかを描き、そのことをしっかり見て、戦争をしない歴史を歩んでいってほしい、という丸木夫妻の願いが込められている。

年間を通じて、企画展やシンポジウム、演奏会なども開催されている。また、建物(打ち放しコンクリート造)の屋上にある階段は、6月23日の慰霊の日にちなみ、下が6段、上が23段の構造になっている。

佐喜眞美術館(上:屋上部、下:「沖縄戦の図」)
(佐喜眞美術館　提供)

第三章 沖縄の歴史（近代まで）

古い時代から伝わる大宜味村塩屋湾のウンガミ（海神祭）（©OCVB）

(1)沖縄人はどこから来たか

沖縄を含む南西諸島は、約1万年前までの最終氷期には大陸と陸続きであり、その頃に多くの動物たちと共に人類も移ってきたものと考えられている。那覇市で見つかった山下洞人（やましたどうじん）の化石人骨は、約3万2,000年前のものであり、日本最古とされる。また、現在の八重瀬町（やえせちょう）でも約1万8,000年前の港川人（みなとがわじん）の化石人骨が発見されており、その他、沖縄本島を中心に久米島、伊江島、宮古島、石垣島からも化石人骨が見つかっている。

かつて、日本人起源論の中で二重構造モデルという説が唱えられた。この説は、「南アジアに棲んでいた原アジア人が、琉球列島を経て日本全土に広がり縄文人となった。一方中国東北部に到達した原アジア人が寒冷化に適応して東北アジア人に変化し、弥生（やよい）時代に日本へ渡来、西日本を中心に広がった。しかし、北の北海道と南の沖縄にはその影響が及ばなかったので、縄文人が小進化を遂げてアイヌと琉球（沖縄）人になった」とするもので、両者の彫りの深い風貌を見るにつけ、つい納得しがちな説ではある。最近のDNAを用いた研究でも、沖縄やアイヌの人々は、本土の日本人よりも縄文人の遺伝的影響が大きいとされるが、縄文人の起源は北東アジアではないかとの説もある。

(2)グスクの時代

弥生時代から古墳時代にかけて、沖縄の人々は漁労や貝の交易を生業（せいぎょう）としてい

浦添グスク（浦添市）（©OCVB）

たが、グスク文化が発達する頃には、農業集落が爆発的に増大した。グスクとは、奄美群島（現・鹿児島県）から八重山諸島にかけてみられる、11世紀頃から15世紀頃にかけてつくられた城のことである。

城と言っても、本土のように単なる軍事拠点ではなかったようで、グスクの起源については「聖域説」「集落説」「城館説」など様々な説がある。

グスク時代の遺跡は、集中して分布していることが多く、この頃から沖縄では、水田経営や畑作経営を協業で行う地域共同体が形成され、支配的性格の首長が生まれていったと考えられている。

(3) 琉球王国

「日本書紀」や「続日本紀」に琉球の島々との交流を示す記事が見られるが、グスク時代を経て、沖縄に国としての歴史がはっきりしてくるのは14世紀頃からである。沖縄本島の南部に南山、中部に中山、北部に北山という三つの国が興り対立するが、1420年代に中山の尚巴志(1372~1439)が北山と南山を滅ぼし、三山を統一した。

これがいわゆる琉球王国であり、最盛期には沖縄諸島のほか、奄美群島、宮古諸島、八重山諸島までを版図に収めるようになる。尚巴志は王都として、沖縄本島南部に首里を造営し、首里城を築いたとされる。

ちなみに「琉球」とは、中国（隋）から与えられた他称であり、「おきなわ」は、自らの国のことを呼ぶ「ウチナー」が転じたものとされる（「ウチナーンチュ」は沖縄人のこと）。

琉球は、三山統一前から中国（明）の冊封体制に入り、中国との進貢貿易を展開するとともに、朝鮮、日本、南方諸国とも盛んに交易を行い、こうした国々との中継貿易によって、独立を保っていく。取り扱った品物は、中国産の磁器や鉄釜、琉球産の硫黄や芭蕉布、日本産の刀剣や槍、扇、屏風、南方諸国原産の胡椒や更紗、染料を取る蘇木などであった。日本へは商品を乗せた琉球船が、瀬戸内海を通って兵庫や堺の港に入り、当地の商人と取引を行った。

沖縄伝統工芸の一つ首里織（首里織工芸館）
(©OCVB)

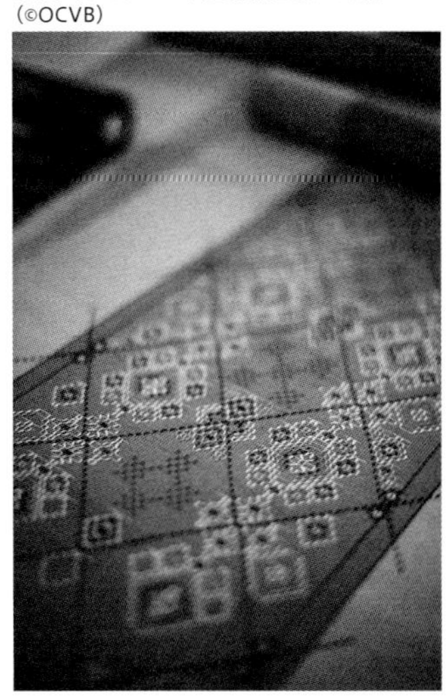

今日伝わる染・織・陶芸・三線音楽などの沖縄文化は、この時代に中継貿易を通じて、形成されたといわれる。なお、琉球は日本とは別の国を築いていたことから（幕末のペリー来航時には、琉米修好条約を結んでいる）、第2次世界大戦後も日本とは別の民族（琉球民族）とする見方もあった。

言語的にも当地で使われる言葉は、日本語の系統ではあるものの、口頭では他の方言より通じにくく、琉球語という日本語とは別の言語と見なす意見もある。

2019年の火災を免れた首里城守礼門(©OCVB)

●コラム 「首里城」

15世紀頃に造営された首里城は、大型グスクの代表例でもあった。王家の城として使用されたが、18世紀までにたびたび火災に遭い、その都度再建されている。明治の沖縄県発足以降は、沖縄県立首里高等女学校の校舎などとして利用された。

沖縄戦の際には、日本陸軍第32軍(沖縄守備隊)が首里城の地下に大規模な地下壕を掘り、総司令部を置いた。そのため、アメリカ軍の砲撃を受け、1945(昭和20)年5月末に焼失した。5月27日に総司令部が南部に撤退する際には、歩行不能な重症病兵約5,000名が首里城地下陣地で自決したとされる。

戦後、1958(昭和33)年頃から徐々に再建が進められ、1992(平成4)年に正殿を中心とする主な建物が完成し、沖縄の本土復帰20周年を記念して、首里城公園として開園した。2000(平成12)年には「首里城跡」が、その他のグスクとともに「琉球王国のグスク及び関連遺産群」として世界遺産に登録された。

しかし、2019(令和元)年10月31日、首里城公園内で火災が発生し、正殿など主な建物は全焼した。首里城正殿に掛けられていた「万国津梁の鐘」(現在は沖縄県立博物館・美術館に展示)の「万国津梁」とは、「世界の懸け橋」を意味し、アジアの国々との交流交易を行った琉球王国の気概を表しているという。

(4)薩摩藩による支配

1591(天正19)年、薩摩の島津氏は豊臣秀吉の朝鮮出兵に際し、秀吉の命と称して、琉球王国に7,000人の10ヵ月分の兵糧米を要求してきた。琉球は小さくも独立の王国であり、要求に応じる道理はなかったが、天下(全国)統一を果たした秀吉の要求は無視できず、何とか半分ほどを調達して応じている。

秀吉の死後、天下人となった徳川家康は、琉球が日本と明との懸け橋となり、日明貿易が再開することを望んだ。一方島津氏は、1608(慶長13)年9月、琉球に使者を送り、「琉球が安泰でいられるのは、薩摩藩のおかげ」として、大島諸島(奄美群島)の割譲を要求した。琉球側がそれを拒否すると、翌年3月下旬、島津氏は100艘の船に3,000人の兵力で琉球に攻め込んできた。

琉球王国は屈強な島津軍の攻撃によ

り、わずか10日間で征服され、国王尚寧（1564~1620）と重臣らは捕虜として鹿児島に連行された。その翌年、尚寧は島津家久に連れられて駿府に赴き、家康に謁見。さらに江戸へ出て2代将軍・秀忠にも面会した。

幕府は、島津氏に琉球をいったん領分として与えたが、のちに中国との貿易を重視して、琉球を存続させることにした。

しかし、琉球王は島津氏に忠誠を誓わされ、毎年薩摩藩へ年貢を納めなければならなくなった。**1611（慶長16）年には島津氏が「掟15ヵ条」を発布し、明への貢物の禁止、薩摩以外の外国への貿易船渡航禁止など、琉球支配のための枠組みを定めた。**また、将軍の代替わりの時には慶賀使を、国王の即位の際には謝恩使を江戸へ派遣させた。こうした「江戸上り」では、琉球王国の一行を中国風の行列に仕立て、島津氏が「異国」を支配していることを誇示したといわれる。

(5) 琉球処分

1868（明治元）年、薩摩・長州を中心とする新政府軍は、旧幕府軍を倒し、天皇中心の近代国家をつくった。琉球はその枠外にあったが、1871（明治4）年、宮古島の年貢船が台湾に漂着し、原住民によって50数名が殺されるという事件をきっかけに状況が変わる。

事件に抗議した明治政府は台湾に出兵してこれを占拠するとともに、北京に使節を送って中国（清）政府に厳重に抗議した。その結果、日本が台湾に出兵したのは、自国（琉球）の民を守るためであったと、中国側に認めさせることに成功した。

尚泰（1843－1901）

これを受け、政府は1872（明治5）年9月に琉球藩を設置し、琉球国王・尚泰を華族に列して、中国との冊封関係を解くように迫った（第一次琉球処分）。また、日本本土では前年に廃藩置県を実施しており、琉球についても同様にすべきという考えから、1875（明治8）年7月、内務大丞・松田道之（1839~1882）を琉球へ派遣して、琉球側と交渉させた。

しかし、琉球の支配層は、中国との関係や既得権を失うことを危惧して、反対の姿勢を変えなかったため、**西南戦争後の1879（明治12）年3月、政府は警察と軍隊を派遣し、武力で首里城を押さえ、廃藩置県を布告した（第二次琉球処分）。**これにより、数世紀も続いた琉球と中国との関係は途絶し、琉球藩は解体され、沖縄県が誕生したのだった。本土から8年遅れの廃藩置県であった。

(6)沖縄の近代化

明治政府は、沖縄県においては急激な改革を避け、旧来の慣習を温存する方針をとった。旧支配者層の反発や自由民権運動への影響を恐れたためであった。一方で、糖業奨励のための資金援助や小学校の開設など、勧業・教育の面においては近代化に力を入れた。

本土では、1873(明治6)年に徴兵制が始まり、1889(明治22)年の改正で国民皆兵制になったが、沖縄県の壮丁(成年男子)にかぎり、「徴集を免除」する特例が設けられていた。1894(明治27)年、日清戦争が始まると、沖縄本島南東部の中城湾は、台湾方面へ向かう日本海軍の出撃基地となった。清国の艦隊も琉球へ向かったというニュースが流れ、沖縄は緊張に包まれた。

沖縄人の中には、清国の勝利と清国艦隊の来航を琉球独立のチャンスと考える独立派も少なからずいた。一方、沖縄にいる内地人は同盟義会を組織し、清国艦隊が来襲した際には、琉球独立派の拠点とみなされていた久米村(現・那覇市)を最初に焼き払う計画を立てていたという。

日清戦争が日本の勝利に終わると、独立派の影響力は低下し、学校教育の現場では、児童・生徒の断髪の断行や、沖縄語の排除と「標準語」の励行などの同化教育(皇民化教育)が強力に推進されるようになり、1898(明治31)年には、沖縄県にも徴兵令が施行されたのだった(宮古・八重山両郡は1902年から)。

謝花昇(1865－1908)

1907(明治40)年、「沖縄県及び島嶼町村制」が公布され、当地域に一定の自治権が認められた。そして、謝花昇らの参政権獲得運動を経て、1912(大正元)年に選挙法が施行され、他府県から遅れること23年にして、ようやく沖縄県民は国政参加の権利を得たのであった(宮古・八重山両郡は1919年から)。

沖縄県では、サトウキビを原料とする黒糖の生産が奨励されていたが、**第1次世界大戦後の1920(大正9)年、黒糖の相場が急落し、県の経済は致命的な打撃を受けた。県民は米や芋さえも手に入れることができず、野生のソテツを調理して食べたが、調理法を間違って、食中毒で死亡する事故が相次いだ。いわゆる「ソテツ地獄」である。**

ソテツ地獄に対処するため、官民協力による経済振興会が結成され、帝国議会も1926(昭和元)年から、産業助成費を交付するようになったが、焼け石に水で、事態の改善にはいたらなかった。

日清戦争(日本軍歩兵の一斉射撃)

第四章 沖縄と戦争

真珠湾の米軍基地を攻撃する日本海軍の九七式艦上攻撃機

早川元(1895―1970)

(1)太平洋戦争

①日中戦争から日米開戦へ

日清・日露戦争で台湾・朝鮮を得た日本は、1929(昭和4)年から始まった世界恐慌で、大きな経済的打撃を受けると、その打開策として朝鮮を足掛かりに中国大陸への進出を企図(きと)した。1931(昭和6)年9月、関東軍は満州事変を起こし、翌年には日本の傀儡(かいらい)国家である満州国を設立、1937(昭和12)年7月の盧溝橋(ろこうきょう)事件勃発を契機に日本は日中戦争へと突入した。

日本軍は上海(シャンハイ)、南京(ナンキン)を占領するが、戦線は全国に広がり、やがて泥沼化する。1939(昭和14)年9月にはヨーロッパで、ナチス・ドイツがポーランドに進攻し、第2次世界大戦が勃発。日本は、米英との外交にも行き詰まり、1940(昭和15)年9月、ファシズム国家である、ドイツ・イタリアと日独伊軍事同盟を結ぶ。

そして1941(昭和16)年12月8日、日本はハワイの真珠湾を奇襲攻撃し、米英との戦争に踏み切った。太平洋戦争の始まりである。開戦が報じられると、全国各地で歓声が沸き起こり、祝賀会などが催された。

沖縄では、早川元(はじめ)知事をはじめ、県会議員、県庁職員らが波上宮(なみうえぐう)(現・那覇市)に参拝し、戦勝祈願を行っている。**県民レベルでは、戦火の広まりとともに、県が主導する日本精神の発揚、生活習慣の改善のための精勤運動により、内面的**

満州事変で瀋陽に入る日本軍

ミッドウェー海戦

ガナルカナル島に上陸した米海兵隊

な「日本人化」が急速に高まっていった。

しかし、日本は緒戦こそ華々しい戦績を挙げたものの、1942(昭和17)年6月のミッドウェー海戦での大敗、43年2月のガナルカナル島の撤退などによって、戦況は逆転し、徐々に追い詰められていく。その結果、沖縄には何とも悲惨な運命が用意されたのである。

②不沈空母にされた沖縄

かつて、琉球王国は士族に刀を持つ習慣がなく、「武器無き国」としてヨーロッパにも知られていたという。明治に入って、沖縄県となった後も、台湾が植民地として確保されたこともあって、沖縄は軍事的価値に乏しく、軍事施設が置かれることはなかった。

しかし、太平洋戦争によって、そのイメージは大きく転換される。ミッドウェー海戦で敗れると、日本軍の最高統帥(とうすい)機関である大本営は、1943(昭和18)年9月、日本本土防衛のための「絶対国防圏」を設定した。

それに基づき、台湾・南西諸島の防衛強化が決定し、「軍事的空白」であった沖縄本島、伊江島、南大東島、宮古島、石垣島などで軍用飛行場の建設が始まった。飛行場用地に指定された地域は、住宅地、耕作地に関わらず、強制収容された。

沖縄本島の読谷村(よみたんそん)では、2.5㎢の陸軍北飛行場が建設され、読谷村の232人の地主が農地を強制的に奪われた。また、伊江島でも巨大な飛行場の建設が行われ、「東洋一の飛行場」と称賛された。

この頃、沖縄を含む南西諸島の島々は「不沈空母(ふちんくうぼ)」と呼ばれた。というのも、日本はすでに物資や労働力が不足し、戦闘機や爆撃機を飛ばす航空母艦をつくる余裕がなかった。そこで、南西諸島に目をつけ、これらの島々に飛行場を建設し、空母の代わりに、そこから特攻機を飛ばして、西太平洋の防波堤にしようという戦略が立てられた。絶対に沈まない空母という意味で、「不沈空母」なのである。

1944(昭和19)年4月、陸軍第32軍(沖縄守備隊)が編成されると、全国から沖縄へ部隊が移駐してきて、飛行場建設と陣地づくりが行われた。軍の兵舎として、公共施設のみならず、民家までもが徴発された。また、小中学生や女学生を含む一般住民が、労働者として連日何万人も徴用されたほか、住民は食料や物資の要求にも応(こた)えなければならなかったという。

1944(昭和19)年7月、サイパン島が陥落し、絶対国防圏の一角が崩れると、米軍の次の進攻目標は南西諸島と想定され、婦女子ら沖縄住民の県外疎開(そかい)が計画された。実際同年10月10日には、米軍による突然の大空襲に見舞われたこともあって、沖縄戦の開戦までに約8万人が、南九州や台湾に疎開した。

そうした中、多くの疎開船が、米軍の爆撃機や潜水艦による攻撃を受けた。同年8月22日には学童疎開船「対馬丸」が、悪石島(鹿児島県)付近で魚雷攻撃を受けて沈没し、780人以上の学童を含む1,500人近くが犠牲になる悲劇も起こった。

アメリカ側は、1944(昭和19)年9月末から行われたサンフランシスコでの海軍首脳会議で、日本本土への進攻について、それまで考えていたフィリピン占領後に台湾・中国沿岸ルートで行うという戦略は、大規模な部隊と補給が必要になるため、これを改めて、硫黄島・沖縄ルートに変更した。

宮古島の平良港(漲水港)からの集団疎開風景
(久手堅憲俊氏所蔵 那覇市歴史博物館提供)

遭難した疎開船「対馬丸」(那覇市歴史博物館 提供)

対馬丸の被害者の遺品類(対馬丸記念館)(©OCVB)

硫黄島を占拠した米海兵隊

沖縄を攻略することで、日本本土攻撃のための航空基地・兵站基地を確保するとともに、日本軍の本土と南方との交通網を遮断しようとしたのであった。

一方、**大本営は1945(昭和20)年1月20日、「帝国陸海軍作戦計画大綱」を策定する。その中で、沖縄や南西諸島等の「前縁地帯」は、連合国軍が進攻してきた場合、本土決戦に向けて、できるだけ敵に損害を与えるだけの、いわば「時間稼ぎの持久戦」が求められたのであった。**

「帝国陸海軍作戦計画大綱」

第三　各方面作戦指導ノ準拠
　其ノ一　皇土要域ニ於ケル作戦
　　四　皇土防衛ノ為ノ縦深作戦遂行上ノ前縁ハ南千島、小笠原諸島（硫黄島ヲ含ム）、沖縄本島以南ノ南西諸島、台湾及上海付近トシ之ヲ確保ス
　　右前縁地帯ノ一部ニ於テ状況真ニ止ムヲ得ス敵ノ上陸ヲ見ル場合ニ於テモ極力敵ノ出血消耗ヲ図リ且敵航空基盤造成ヲ妨害ス

(2) 沖縄戦 ～国内唯一の地上戦～

①米軍上陸

1945（昭和20）年3月23日、米軍は沖縄本島上陸に先立って南西諸島全域に空爆を開始し、翌日には本島南部を中心に艦砲射撃を加えた。26日、慶良間諸島の座間味島（ざまみじま）へ米軍が上陸、29日までに同諸島をすべて制圧した。また、26日には宮古・八重山諸島近海にイギリスの艦隊が現れ、同諸島へ繰り返し艦砲射撃を行った。

そして**4月1日、米軍の上陸部隊は、約2,000隻の艦船の援護のもと、沖縄本島中部西海岸の読谷（よみたん）・北谷（ちゃたん）に上陸した。この日1日で、砲弾4万5,000発、ロケット弾3万3,000発、迫撃弾2万2,500発が使用されたといわれる。以後、米軍の砲撃は3ヵ月にわたって続けられるが、それは、沖縄の人々が「鉄の暴風」と呼ぶほど凄まじいものであった。**

日本軍は、ほとんど抵抗せずに後退した。というのも、上陸決戦ではなく、軍司令部のある首里正面に陣地を構え、そこへ米軍を引き付けたうえ、持久戦を展開しようという作戦だったのである。

米軍はその日のうちに6万人が無血上陸を果たした（まるでピクニックへ行くようだった、という米兵の証言もある）。直ち

沖縄上陸作戦中の米軍（那覇市歴史博物館 提供）

日本軍の洞窟陣地をダイナマイトで攻撃する米兵
（那覇市歴史博物館 提供）

米戦艦からの艦砲射撃
（那覇市歴史博物館 提供）

に読谷の北飛行場、北谷の中飛行場を占拠し、2日目には東海岸に達し、3日目には沖縄本島を南北に分断、北上部隊は同月13日に本島北端の辺戸岬（へどみさき）に達した。

一方、米軍の主力部隊は、4月5日頃から日本軍の主力陣地のある中部戦線へ向けて総攻撃を開始した。

②本島中部戦線

読谷と北谷の飛行場を放棄した日本軍は、南下して首里の軍司令部を中心に地下陣地を構えて、米軍の襲来に備えた。沖縄本島を南北に分断した米軍が南下を開始すると、日本軍は浦添（うらぞえ）～嘉数（かかず）高地～西原（にしはら）のラインに精鋭部隊を配置し、米軍

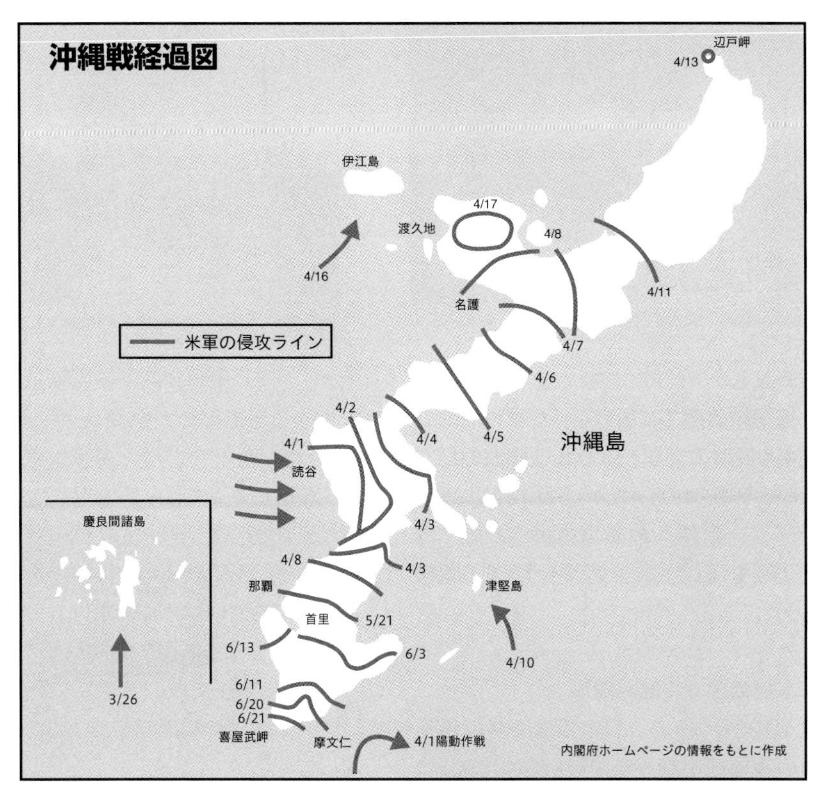

を迎え撃った。

同時に九州や台湾から日本軍の特攻機が飛来し、海上では特攻艇、地上では爆弾を持っての体当たり戦法などを駆使し、戦況は一進一退の状態が40日以上続いた。さすがの米軍も、1日平均100m前進するのがやっとだった。

血で血を洗うし烈な戦闘で、米軍にも多数の死傷者が出た。中部戦線で戦った米兵には、戦後長くPTSD（心的外傷後ストレス障害）に悩まされる者が多かったという。しかし、日本軍は全兵力の3分の2に当たる6万4,000人を失うなど、さらに人的・物的消耗が著しく、やがて抵抗力は弱まり、5月20日頃には、米軍は日本軍司令

民家を焼き払う米兵（那覇市歴史博物館 提供）

戦前の首里城と首里第一国民学校（航空写真）
（那覇市歴史博物館 提供）

沖縄戦の激戦地・嘉数高台公園（宜野湾市）に残る、日本軍が築いたトーチカ（コンクリート製陣地））（©OCVB）

部のある首里近辺に迫るに至った。

首里城の地下に設けられた軍司令部の陥落も時間の問題と思われ、勝敗の行方はもはや明らかだったが、5月22日に軍司令部は、南部への撤退を決定した。本土決戦を1日でも先に延ばそうとする戦略だった。

③本島南部での最終決戦

5月25日頃から、日本軍は沖縄本島南端の喜屋武半島へと移動し始めた。ところが、**同半島地区には、10万人以上の住民が洞窟や墓の中に避難していたため、移動してきた軍と住民の間で衝突が起こり、大混乱となる。日本兵による洞窟からの追い出し、食料強奪、住民殺害などのいまわしい事件が多発したといわれる。**

6月に入ると、米軍の南部への攻撃が

教会にたてこもる日本兵を攻撃する米海兵隊
（那覇市歴史博物館 提供）

始まり、同月中旬には小禄海軍飛行場を守備する海軍部隊が全滅。6月12日、海軍の大田実司令官は、海軍次官宛てに「沖縄県民斯く戦えり。県民に対し、後世特別の御高配を賜らんことを」という電報を打って自刃した。

日本軍を追い詰めた米軍は、日本兵や住民が混在する洞窟に爆雷やガス弾を打ち込み、破壊していく（馬乗り攻撃）。そうした中、住民の集団自決があちこちで発生した。

そして6月23日、ついに第32軍司令官・牛島満中将は、長勇（1895~1945）参謀長らと摩文仁の司令部壕で自決。ここに沖縄守備軍の組織的な戦闘行為は終わった。しかし、牛島司令官は、自決前の19日、「最後まで敢闘して悠久の大義に生くべし」という軍令を残したため、その後も

日本軍の立てこもる壕に片端から火焔を浴びせる米軍戦車
（那覇市歴史博物館 提供）

牛島満（1887－1945）

大田 実（1891－1945）

牛島満司令官、長参謀長、藤岡部隊長の墓(糸満市)
(川平朝申氏資料 那覇市歴史博物館提供)

残存部隊の抵抗は続いた。

米軍が沖縄作戦の終了を宣言したのは7月2日、南西諸島の日本軍を代表して宮古の部隊司令官らが降伏調印を行ったのは、日本がポツダム宣言を受諾した後の9月7日であった。住民の犠牲はその間も続いたのである。

沖縄戦による日本の戦没者は18万8,136名で、そのうち、沖縄出身者は軍人・軍属が2万8,228名、戦闘参加者(準軍属)が5万5,246名、一般住民が3万8,754名の計12万2,228名とされる(この中にマラリアや餓えで亡くなった人は含まれていない)。

当時の沖縄県の人口は、54万人余りであったから、県民のおよそ4人に1人が命を落としたことになり、沖縄県民に遺族でない者はいないと言われたゆえんである。

ちなみに、米国側の戦没者は1万2,520名であった。

④集団自決

日本の軍人は、沖縄戦の前から「生きて虜囚の辱めを受けず」の戦陣訓を叩き込まれており、**沖縄の住民も「米軍の捕虜になったら、女は暴行されたうえ殺され、男は戦車の下敷きになって殺される」と脅されていたので、地上戦が始まると、住民たちは恐ろしくて米軍に投降することができず、避難するガマや壕の中で、手榴弾やかみそり、カマ、劇薬などを用いて「集団自決」する例が沖縄県各地で発生した。**

沖縄本島に先んじて米軍が上陸した、渡嘉敷島、座間味島など慶良間の島々では、突然敵兵を目にした住民はパニックに陥り、560人余りが自ら命を絶ったとされる。沖縄本島では、米軍上陸後の読谷村、美里村(現・沖縄市)、伊江島でも集団自殺が起こり、沖縄戦末期には本島南部の玉城村(現・南城市)、摩文仁村(現・糸満市)などでも発生した。

集団自決は、日本軍らによる誘導、強制によるケースも多く、また、スパイの嫌疑をかけられた住民が、国を守るはずの日本兵に虐殺される例もあったとされる。

一方で、米軍は、ガマに潜んでいた日本兵や住民らへ投降を呼びかけ、投降した者を人道的に扱うよう米兵に指示を出していた。実際、投降したことで、集団自決を免れ、命を長らえた住民も少なくなかった。

2019(令和元)年製作の映画『ドキュメ

犠牲になった住民。「集団自決」か?(那覇市歴史博物館 提供)

ンタリー沖縄戦―知られざる悲しみの記憶』(太田隆文監督)では、体験者12人の証言と8人の専門家の話をもとに、そのような集団自決の実態を浮き彫りにしている。なお、同映画では集団自決を、自ら進んで死を選んだのではなく、軍国主義教育や日本軍によって強制された死であったとする証言が多いことから、「集団強制死」として紹介している。

⑤学徒隊と護郷隊

アメリカの沖縄攻略戦は「アイスバーグ(氷山)戦」と呼ばれ、動員された米軍兵力は約54万8,000人、対する日本の沖縄守備軍は約10万人だった。しかも、そのうち2万2,000人以上は、直前に入隊した沖縄出身の防衛召集兵だった。

というのも、第32軍4個師団のうち前年暮れに最精鋭の1個師団を、日本統治

●コラム　集団自決をめぐる訴訟

集団自決は、同化政策により「軍民共生共死」の一体的な戦時体制がつくられていたことが背景にあったとされ、「日本軍の強制」については、戦後、否定する動きもある。

集団自決に絡んで、1983(昭和58)年の高校歴史教科書の検定を問題にした、歴史学者・家永三郎(1913~2002)による裁判(第3次)や、2005(平成17)年からの小説家・大江健三郎(1935~)の著作をめぐる訴訟などが起こされた。

家永裁判では、日本軍による住民殺害についての記述に対し、文部省(当時)がつけた「(自殺である)集団自決が多かったのだから、集団自決をまず記述せよ」という検定意見の適法性が争われた。判決では「集団自決を記述せよとの検定意見は違法とまでは言えない」とされたが、以後、集団自決が日本軍の強制によるものか否かの論争が活発化する。

大江裁判では、大江の著作『沖縄ノート』における、渡嘉敷島の集団自決に軍関係者の命令があったとする記述が、名誉棄損に当たるとして争われたが、判決では「自決命令を発したことを直ちに真実と断定できないとしても、被告(大江ら)が当時『真実と知るに相当の理由はあった』」とし、原告の請求を退けた。

2007(平成19)年3月には、文部科学省が、高校歴史教科書の「沖縄戦における住民集団自決」の記述で、軍の強制によって行われたとする部分を削除・修正させていたことが明らかになった。これに対し、同年9月29日、「教科書検定意見撤回を求める県民大会」が開催され、宮古・八重山会場を含め11万6,000名が参加、当時の福田康夫内閣は、記述の部分的な復活を認めている。

近年、太平洋戦争中の軍部の行いに対する批判的な言動が、「自虐史観」として取り上げられることがある。自虐史観とは、戦争中に起こった負の面をすべて軍や国の責任として過剰に強調し、正の面を貶め、無視するというものだが、そうした批判に対し、ノンフィクション作家の保坂正康(1939~)は「自省史観」という言葉を用い、昭和という時代を自省や自戒で見つめ、そこから教訓を引き出し、次代につないでいく「自省史観」こそが国益にかなうとして、その重要性を主張している。

捕虜となった学徒隊員（那覇市歴史博物館 提供）

下の台湾に引き抜かれたこともあり、その穴を埋めるため、18歳から45歳の男子が急遽（きゅうきょ）現地召集されたのである。

さらには、**師範学校や中学校、実業学校の生徒約1,500人を学徒隊に編成**するとともに、女学校や女子青年団の少女ら女子学徒までが、従軍看護婦などに動員された。学徒隊のうち、16歳から19歳の上級生は「鉄血勤皇隊（てっけつきんのうたい）」として、14・15歳の下級生は「学徒通信隊」として、軍に動員され、主な任務は、伝令、歩哨（ほしょう）、食料物資運搬、水汲み、陣地構築、電線の保線作業などの後方支援であったが、戦闘に出された学徒も多かった。

実際、**学徒隊の中には、沖縄戦の終盤に斬り込み攻撃に出された者もいて、学徒隊の全動員数の約半数が戦死したといわれる。**

学徒隊とは別に、**「護郷隊（ごきょうたい）」といって、特務機関「陸軍中野学校」出身の青年将校に率いられ、「秘密戦」に臨んだ少年たちもいた。**青年将校らは、日本軍が降伏した後も、本土決戦に向けた時間稼ぎのゲリラ戦を展開するため、沖縄に送り込まれ、10代半ばの少年を集めて訓練し、戦意高揚を煽（あお）り、ゲリラ集団に仕立て上げていた。

しかし、**彼らの任務は危険なうえ、その場しのぎものが多く、護郷隊の多くの少年が悲惨な死を遂げた。1,000人近くいた護郷隊のうち、162人が亡くなったという。**2018（平成30）年製作の映画『沖縄スパイ戦史』（監督：三上智恵（みかみちえ）・大矢英代（おおやはなよ））では、生き残った入隊者の証言に基づき、護郷隊の実態や、住民をスパイとして虐殺した日本兵らの姿に迫っている。

⑥ひめゆり学徒隊

女子学徒隊は、ひめゆり学徒隊や白梅（しらうめ）学徒隊などが有名だが、女学校単位で編成され、日本軍の野戦病院などで負傷兵の看護にあたった。**ひめゆり学徒隊は、沖縄師範学校女子部と沖縄県立第1高等女学校の教職員18名、生徒222名の240名からなり、沖縄陸軍病院に動員された。**

海岸で投降した女子学徒隊員（那覇市歴史博物館 提供）

教師を囲むひめゆり学徒隊の同窓生（那覇市歴史博物館 提供）

陸軍病院ははじめ南風原国民学校にあり、彼女らはそこで看護教育を受けたが、空襲のため陸軍病院が黄金森に掘られた壕に移ると、女子学徒もそこへ移動し、外科、内科、伝染病科などに分かれて配属された（同壕は現在、南風原町の黄金森公園に「沖縄陸軍病院南風原壕群20号」として保存され、見学もできる）。

4月中旬以降、負傷兵がどんどん増えると、女子学徒らは昼夜を分かたず看護活動に追われた。壕内での、包帯やガーゼの交換、蛆取り、手術の補助、食事や排せつの世話のほか、食糧運搬や水汲み、死体埋葬、汚物処理など、壕の外へ出る危険な任務も担った。

5月25日、第32軍（沖縄守備隊）の南部撤退に伴い、陸軍病院も南部への移動を開始した。その際、壕内では、置き去りにする重病患者に毒薬を混ぜたミルクが配られたという。南部では、女子学徒は6つの壕に分かれて配置されたが、医薬品が不足する中、もはや十分な治療・看護が行える状態にはなかった。

戦況は行き詰まり、6月18日、解散命令が出た。**壕を脱出する際、負傷した女子学徒は置き去りにされた。100名ほどが潜んでいた第3外科のガマでは、脱出直前に米軍によって爆弾が投げ込まれ、ひめゆり学徒隊46名を含む80余名が犠牲になった**（そのガマの横に現在「ひめゆりの塔」が立てられている）。

また、壕を出た女子学徒たちも、どこが安全か分からぬまま、戦場をさまよい、多くの戦死者を出した。ひめゆり学徒隊に動員された240名のうち、136名が戦死したが、そのうち、100名余りは解散命令後数日のうちに命を落としている。

●コラム　ドラマ化されたひめゆり隊

ひめゆり学徒隊の悲劇は、1949（昭和24）年に石野径一郎が『ひめゆりの塔』という小説にして少女雑誌「令女界」に掲載し、翌年単行本として出版された。これをきっかけに、その後何度も映画化されている。

1953（昭和28）年の『ひめゆりの塔』（監督：今井正、出演：津島恵子・香川京子）、1968（昭和43）年の「あゝひめゆりの塔」（監督：舛田利雄、出演：吉永小百合・和泉雅子）、1982（昭和57）年の『ひめゆりの塔』（監督：今井正、出演：栗原小巻・古手川祐子・大場久美子）、1995（平成7）年の『ひめゆりの塔』（監督：神山征二郎、出演：沢口靖子・後藤久美子）などで、これらの映画を通じて、沖縄戦の悲惨さが国民に広く知られるようになった。

⑦特攻隊

1944（昭和19）年10月のフィリッピン沖海戦を契機に、日本海軍は、特別攻撃隊（特攻）を主体とした第5航空艦隊を編成する。特攻とは、敵艦に飛行機ごと体当たりする攻撃で、出撃すなわち死を意味した。

翌45年4月、米軍が沖縄本島に上陸すると、日本海軍は、練習機を含めた出撃可能な航空機をすべて投入して、特攻作戦に踏み切った（菊水作戦）。これに併せ、陸軍の戦闘機も九州と台湾から飛び立ち、攻撃に加わった。

4月6・7日の菊水1号作戦では、総攻撃機699機のうち355機が特攻機で、沖縄の米軍艦隊への攻撃を行い、米軍艦8隻を沈没させ、15隻に損傷を与えたという。**特攻機による特攻攻撃は、沖縄戦の終了する6月22日の菊水10号作戦まで行われ、海軍では2,045人、陸軍では1,022人が戦死したとされ、前途ある多くの若者が、沖縄の海に命を散らしたのだった。**

放置された小型特攻機「桜花」（那覇市歴史博物館 提供）

沖縄本島の本部半島西海岸で発見された特攻艇（那覇市歴史博物館 提供）

一方、日本陸軍は、爆弾を積んで敵の軍艦に体当たりして自爆する、特攻艇（マルレ）を約300隻、慶良間の島々に配備していた。だが、多くは出撃前に米艦隊の激しい艦砲射撃で破壊され、米軍の上陸を許すことになった。

特攻は陸でも行われた。爆薬箱を抱えて敵陣に飛び込む「人間爆弾」や、棒の先に短剣を付けた槍で敵陣に斬りこむ「斬り込み隊」などである。激戦が繰り広げられた沖縄本島の中部戦線では、「人間爆弾」によって、米軍の戦車6両が撃破された。

伊江島の戦いでは、民間人もが駆り出され、乳飲み子を背負った婦人までが、米軍陣地へ突撃する「斬り込み隊」に加わったという。

⑧島々の戦い

沖縄戦では、沖縄本島以外の島々でも、住民を巻き込んだ壮絶な戦いが繰り広げられた。日本軍が駐屯していた、慶良間諸島の座間味島、阿嘉島（あかじま）、慶留間島（げるまじま）、屋嘉比島（やかびじま）などでは、3月26日以降、沖縄本島に先行して、米軍が空襲と艦砲射撃を加えながら、次々と上陸し、予想外の急襲に日本軍はあえなく撃退され、前述のとおり、住民はパニックに陥って、多くの集団自決が発生した。

東洋一の飛行場のあった伊江島には、4月16日に米軍が上陸し、4,000人の住民を巻き込んだ激しい戦闘が6日にわたって行われ、集団自決を含めた住民の死者は、1,500人にのぼった。「沖縄戦の縮図」といわれるゆえんである。

宮古・八重山諸島では、米軍上陸による地上戦こそなかったが、飛行場などの軍事施設が多くあったため、4月から6月にかけて、米英両軍による激しい空襲と艦砲射撃を受け、壊滅的な被害をこうむった。

また、日本軍の配備に伴う人口増のため、食糧不足から栄養失調に陥ったり、強制疎開により疎開地でマラリアに罹るなどして、多くの住民の命が失われた。波照間島では、陸軍中野学校出身の青年将校により、西表島への疎開が進められたが、そこはマラリアの有病地で、同島の戦没者593人のうち、9割以上がマラリアによる死者であった。

八重山地域全体では、3万人余りの住民のうち、強制疎開によって1万6,000人がマラリアに罹り、うち3,600人が死亡したという(沖縄県史)。

島民疎開の理由は、日本軍の食糧確保のほか、島に敵が上陸して、島民が捕虜になった場合、軍の内容を知られ、さらにはスパイにされてしまうことを恐れたからだという。波照間島の悲劇については、前に紹介した映画『沖縄スパイ戦史』が、生存者の証言に基づき、明らかにしている。

沖縄本島の東方400㎞に浮かぶ大東諸島(北大東島・南大東島・沖大東島)にも、7,700名の部隊が配置されていたため、3月27日には米軍の艦砲射撃を受けた。住民はガマに避難したことで、比較的被害が少なかったが、日本軍の兵士112名が死亡したとされる。

米軍慶良間上陸時の米戦艦からの艦砲射撃の雨(那覇市歴史博物館 提供)

第五章 沖縄と基地

沖縄戦の末期、米軍の呼びかけに応じて命を救われた沖縄の住民は少なくなかったが、皮肉にも戦後、米軍が設けた基地の存在によって、沖縄県民は長く苦しまされることになる。まずは、現在の沖縄県における米軍基地の状況について見ておこう。

(1)沖縄米軍基地の現状
～全国の7割が集中～

沖縄県の資料によると、2019(平成31)年3月末現在、沖縄にある米軍基地(専用施設)の数は31、面積は184.94㎢である。それがどのくらい大きいかというと、沖縄県の面積の約8.1%、沖縄本島の面積の14.6%を占める。しかも、日本にある米軍基地(専用施設)の総面積は263.18㎢なので、沖縄の全体に占める割合は70.3%になる。

全国で米軍基地の存在するのは13都道府県であるが、沖縄に次いで多い青森県の全国比は9%。次に多い神奈川県は5.6%である。沖縄県の面積は国土面積の0.6%にすぎない。

全国土の1%に満たない沖縄に、全国の米軍基地の約7割が配置されているのである。いかに沖縄の基地負担が突出したものであるかを示す数字である。

さらに、沖縄には陸上の基地以外にも、水域27ヵ所(54,937.94㎢)と空域20ヵ所(95,415.73㎢)が、訓練区域として米軍の管理下に置かれ、漁業や航空上の制約になっている。

沖縄にいる米軍人の数は25,843人(平成23年)で、空軍が6,772人、陸軍が1,547人、海軍が2,159人、そして、一番人数の多い海兵隊が15,365人である。軍属や家族を入れた沖縄の米軍関係者の人数は47,300人に及ぶ。

沖縄の現在の主な米軍専用施設はP32・33のとおりである。

ではなぜ、これほど多くの米軍基地が沖縄に集中して配置されているのか、歴史を追って見ていくことにする。

極東最大の空軍基地・嘉手納飛行場(©OCVB)

沖縄米軍施設配置図

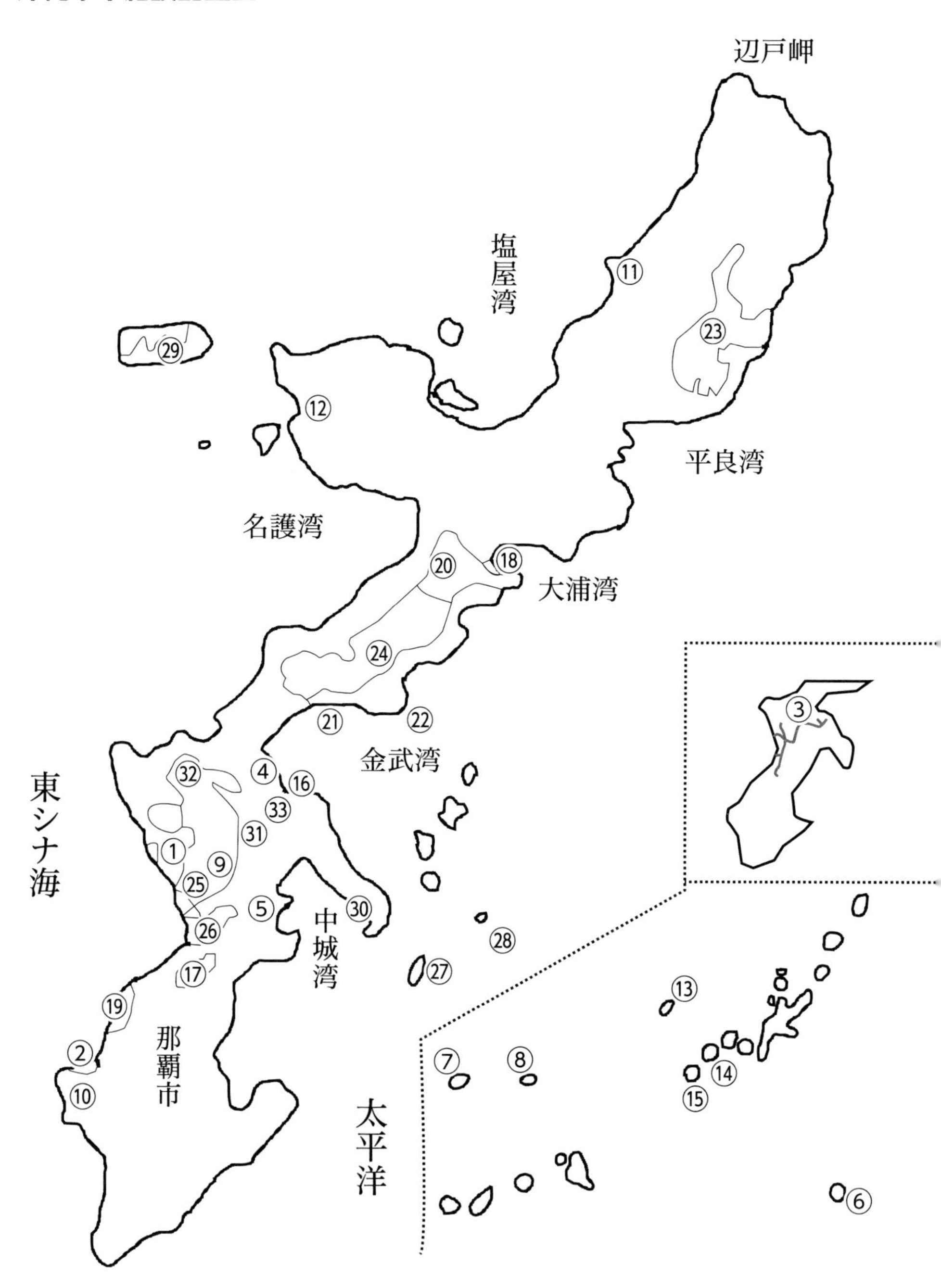

「沖縄の米軍及び自衛隊基地（統計資料集）」（沖縄県）の資料をもとに作成

2018（平成30）年3月31日現在

施設名	面積
〈陸軍〉	
①トリイステーション(読谷村)	1,895千㎡
②那覇港湾施設(那覇市)	559千㎡
③陸軍貯油施設(うるま市・沖縄市・宜野湾市・嘉手納町・北谷町)	1,277千㎡
〈海軍〉	
④天願桟橋(うるま市)	31千㎡
⑤泡瀬通信施設(沖縄市)	552千㎡
⑥沖大東島射爆撃場(北大東村)	1,147千㎡
⑦黄尾嶼射爆撃場(石垣市)	874千㎡
⑧赤尾嶼射爆撃場(石垣市)	41千㎡
〈空軍〉	
⑨嘉手納飛行場(嘉手納町・沖縄市・北谷町)	19,855千㎡
⑩*那覇飛行場(那覇市)	7千㎡
⑪奥間レスト・センター(国頭村)	546千㎡
⑫八重岳通信所(名護市・本部町)	37千㎡
⑬鳥島射爆撃場(久米島町)	41千㎡
⑭出砂島射爆撃場(渡名喜村)	245千㎡
⑮久米島射爆撃場(久米島町)	2千㎡
〈海兵隊〉	
⑯キャンプ・コートニー(うるま市)	1,339千㎡
⑰普天間飛行場(宜野湾市)	4,759千㎡
⑱辺野古弾薬庫(名護市)	1,214千㎡
⑲牧港補給地区(キャンプ・キンザー)(浦添市)	2,677千㎡
⑳キャンプ・シュワブ(名護市・宜野座村)	20,626千㎡
㉑金武レッド・ビーチ訓練場(金武町)	14千㎡
㉒金武ブルー・ビーチ訓練場(金武町)	381千㎡
㉓北部訓練場(国頭村・東村)	36,590千㎡
㉔キャンプ・ハンセン(金武町)	48,728千㎡
㉕キャンプ・レスター(キャンプ桑江)(北谷町)	675千㎡
㉖キャンプ・フォスター(キャンプ瑞慶覧)(北谷町・北中城村・沖縄市・うるま市)	5,450千㎡
㉗津堅島訓練場(うるま市)	16千㎡
㉘*浮原島訓練場(うるま市)	254千㎡
㉙伊江島補助飛行場(伊江村)	8,015千㎡
〈海軍・陸軍〉	
㉚ホワイト・ビーチ地区(うるま市)	1,568千㎡
〈海軍・空軍〉	
㉛キャンプ・シールズ(沖縄市)	700千㎡
〈空軍・海兵隊〉	
㉜嘉手納弾薬庫地区(読谷村・沖縄市・嘉手納町・恩納村・うるま市)	26,585千㎡
㉝キャンプ・マクトリアス(うるま市)	379千㎡

〔*は、地位協定第2条4(b)の規定に基づき一時使用されているもの〕

(2)米軍基地はいつから始まったか
～沖縄戦での基地建設～

1945(昭和20) 年3月26日、米軍沖縄上陸戦の開始に際して、米国海軍軍政府布告第1号「米国軍占領下の南西諸島及其近海居住民に告ぐ(権限の停止)」が用意された。いわゆる「ニミッツ布告」である。布告の通称は、アメリカ太平洋艦隊司令長官で海軍元帥のチェスター・W・ニミッツの名にちなむ。

上陸成功後、米軍はこの布告を発布して、日本の行政権を停止し、米軍政府の設立を宣言、ニミッツが琉球列島軍政長官に就任した。米軍の統治の根拠は、戦時の国際法である「ハーグ陸戦条約」の占領条項に基づくものとされた。

アメリカが沖縄進攻にあたって策定した「アイスバーク作戦」は、沖縄に「軍事基地を確立する」ことを目標とするものであった。米軍は沖縄上陸後、この作戦に沿って、沖縄守備軍との戦闘を続けながら、日本本土攻撃に向けた、飛行場などの基地を着々と築いていった。上陸当日 (4月1日)に嘉手納の北・中飛行場を占拠し、同月9日までには、両飛行場へ海兵隊の戦闘機部隊を配置している。

チェスター・ウィリアム・ニミッツ・シニ
(Chester William Nimitz, Sr. 1885―1966)

収容所に入れられた日本兵捕虜たち
(那覇市歴史博物館 提供)

伊江島飛行場へは5月14日に米陸軍航空隊の戦闘機部隊が配備され、これら3つの飛行場から5月以降、奄美群島や九州への攻撃が開始された(もちろん、沖縄本島を移動する日本軍や住民にも連日のように爆撃が行われた)。

一方で米軍は、捕虜にした沖縄の軍人と住民を別々の収容所に入れた。沖縄本島には12ヵ所の収容所が設けられ、南部の住民は北部の収容所へと移動させられた。その人数は約25万人に及んだといわれる。米軍は、ハーグ陸戦条約に違反し、住民のいなくなった土地を占拠して、新たな飛行場を建設していった。

ボーロー(読谷村)、普天間、金武(きん)、泡瀬(あわせ)、ハンビー、瑞慶覧(ずけらん)などで飛行場がつくられ、その面積は約182㎢に達したといわれる。現在移設問題に揺れる普天間飛行場は、沖縄戦のさ中に、役場や国民学校、郵便局、病院などがあり、9,000人が暮らしていた宜野湾(ぎのわん)村の中心地を、米軍が強制収容して建設したものなのである。

7月2日、米軍は沖縄での戦闘終了を宣言するが、その後より大型で多くの爆弾を搭載できる爆撃機が沖縄に配備され、九州各地への爆撃が本格化する。また、哨戒機(しょうかいき)による東シナ海の船舶への攻撃も行われ、海上における日本軍の動きを抑制した。

8月に入ると、最新鋭の爆撃機、B-29の配備も始まったが、8月15日に日本は降伏を表明したため、沖縄からB-29は出撃しなかったようである。本来なら戦争が終われば、基地は不要になるはずである。ところが、米軍が日本本土の攻撃に向けて沖縄に建設した飛行場等の軍事施設は、戦後も存続することになる。

(3) 戦後の沖縄分離と米軍政
〜戦争が終わっても無くならなかった基地〜

1945(昭和20)年8月6日、米軍は広島に原爆を投下、3日後の9日には長崎にも投下し、同日ソ連軍が、日ソ中立条約を破棄して満州国に進攻するに及んで、日本は連合国のポツダム宣言を受け入れて無条件降伏することを決定、8月15日に玉音(ぎょくおん)放送でその旨が国民に伝えられた(ソ連は、日本のポツダム宣言受諾後も進攻を止めず、南カラフト、千島、北方四島を占領していった)。

それから半月後の9月2日、東京湾の米戦艦ミズーリ号の甲板上で、日本と連合

重光 葵(1887－1957)

ダグラス・マッカーサー
(Douglas MacArthur、1880－1964)

国による降伏文書(休戦協定)の調印が行われた。この時、日本の代表は重光葵(しげみつまもる)外務大臣(日本全権)と梅津美次郎(うめづよしじろう)参謀総長、連合国側の代表は、アメリカ軍人のダグラス・マッカーサー連合国最高司令官だった。

調印から6日後の9月8日、マッカーサー率いる占領軍が東京に進駐してくる。そして、マッカーサーを占領軍総司令官として、GHQ(連合国軍最高司令官総司令部)による日本の統治が始まった。

アメリカの対日方針は、非武装化と民主化であった。日本の帝国陸海軍は解体され、その軍事施設はすべてアメリカ軍に引き継がれた。また、GHQは、新しい日本の憲法の制定を進めることとし、そのため日本政府に国会の開催を求めた。それを受けて日本政府は、1945(昭和20)年12月17日、新しい選挙制度(女性参政権の付与など)を導入した。

一方で**GHQは、1946(昭和21)年1月29日、「若干の外部地域を政治上行**

政上日本から分離することに関する覚書」（SCAPIN677／1）という指令を発し、戦前日本が植民地として支配した満州、台湾、朝鮮などに加え、小笠原諸島、千島列島、歯舞（はぼまい）群島、色丹（しこたん）島などともに、沖縄を含む北緯30度以南の南西諸島を日本から分離することを明らかにした。

沖縄が日本から分離された背景には、沖縄戦で米軍が大きな犠牲を払ったことや、対日講和後も沖縄に長期的な米軍基地を確保したいという思惑があったとされる。実際、アメリカ統合参謀本部（JCS）は、1945（昭和20）年10月、戦後に必要とする基地の再検討を行う中で、沖縄を「最重要基地」に位置付けている（JCS570／40）。ちなみに、マッカーサーは沖縄を日本と別民族と考え、分離を当然視していたという。

なお、ポツダム宣言で確認された日本の主権は、「本州、北海道、九州並びに吾ら（連合国）が決定する諸小島に極限」されるとなっていたが、「諸小島」がどこまでを指すかは決定されず、それは今なお決定されていない。

上記覚書の第6項には、「この指令中の条項は何れも、ポツダム宣言の第8条にある小島嶼の最終的決定に関する連合国側の政策を示すものと解釈してはならない」とあり、暫定（ざんてい）的な指令であることが明記されている。

このため、北方領土や竹島などの帰属問題が先へ持ち越されてしまった。アメリカは沖縄を日本の領土だ（諸小島に含まれる）としたが、日本と中国、台湾との間で問題化している尖閣（せんかく）諸島については、それに含まれるか判断をしなかった（近年では、同諸島は日本の施政下にあり、日米安全保障条約の適用対象としているが）。

ともあれ、日本本土が連合国総司令部の統治だったのに対し、沖縄を含む北緯30度以南の地域は米軍による軍政が布かれたのであった。日本本土は、連合国統治下にありながら、主権を一部制限されつつも、政府が存続した。

一方軍政下の、沖縄を含む南西諸島は、北から奄美群島、沖縄群島、宮古群島、八重山群島の4つに区分され、それぞれに大島支庁、沖縄諮詢（しじゅん）会、宮古支庁、八重山支庁が置かれた。

1945（昭和20）年10月ごろから、捕虜収容所からの住民の帰還が始まったが、米軍の基地建設によって居住区が狭められたり、分断されたり、別の場所へ移住させられるなどして、元の生活を復活することが困難なケースが少なくなかった。

前述のとおり、沖縄住民が収容所に囲い込まれている間に、米軍はハーグ陸戦条約の「占領地の財産尊重」条項に違反して、広大な土地を軍用地として、所有者の了解を得ることなく強制的に収容していたのだ。

沖縄群島には1946（昭和21）年4月24日、米軍政府指令第156号により、沖縄民政府が創設され、米軍政府によって沖縄諮詢会委員長の志喜屋孝信（しきやこうしん）が知事に任命された。そして、同月26日には知事の諮問機関として、沖縄議会が設置された。

また、同年4月には初等学校令が公布されて、8・4制の学制が敷かれ、沖縄民政府のもとで、統一された教育行政が再開された。

しかし米軍は、当初こそ沖縄住民の自

沖縄諮詢会の委員(那覇市歴史博物館 提供)

志喜屋 孝信(1884ー1955)

主性を発揮させようとしたが、やがてその方針を改め、猫(米軍)の許す範囲でしかねずみ(沖縄住民)は遊べない、という「猫とねずみ」とたとえられるような、上意下達のシステムを形成していく。

1946(昭和21)年11月3日、日本国憲法が公布され、翌1947(昭和22)年5月3日に施行された。日本は世界に類を見ない平和主義のもと、第9条により戦争の放棄を決めた(もっとも、日本はまだ連合国の占領下にあり、1952年のサンフランシスコ講和条約締結までは、その効力は完全なものではなかった)。

一方、米軍施政下の沖縄は、全く日本国憲法の対象外であった。**マッカーサーは、日本の非軍事化をアメリカによる沖縄の戦略的支配と結び付けて考えていたという。その意味では、日本の平和憲法は、アメリカの極東戦略の中で、沖縄の基地化と引き換えに実現したといえる。**

この頃、アメリカ国内では、沖縄に関し、日本から切り離して排他的に支配しようとする軍部に対して、国務省は大西洋憲章にうたう「領土不拡大」の原則から、非武装化して日本に帰すべきだと主張した。両者の対立から、沖縄の扱いは棚上げされ、「忘れられた島」とさえ呼ばれるようになる。この間、沖縄の基地建設計画は進まず、沖縄に駐留する米軍も1946(昭和21)年の約2万人から、2年間で半減している(兵士の質も低下したという)。

「若干の外部地域を政治上行政上日本から分離することに関する覚書(SCAPIN677/1)第3項及び第4項」

3　この指令の目的から日本という場合は次の定義による。
日本の範囲に含まれる地域として
日本の四主要島嶼(北海道、本州、四国、九州)と、対馬諸島、北緯30度以北の琉球(南西)諸島(口之島(くちのしま)を除く)を含む約1千の隣接小島嶼
日本の範囲から除かれる地域として
(a)うつ陵島、竹島、済州島。(b)北緯30度以南の琉球(南西)列島(口之島を含む)、伊豆南方、小笠原、硫黄群島、及び大東群島、沖ノ鳥島、南鳥島、中ノ鳥島を含むその他の外廓太平洋全諸島。(c)千島列島、歯舞群島(水晶(すいしょう)、勇留(ゆり)、秋勇留(あきゆり)、志発(しぼつ)、多楽島(たらくとう)を含む)、色丹島。

4　更に、日本帝国政府の政治上行政上の管轄権から特に除外せられる地域は次の通りである。
(a)1914年の世界大戦以来、日本が委任統治その他の方法で、奪取又は占領した全太平洋諸島。(b)満洲、台湾、澎湖(ほうこ)列島。(c)朝鮮及び(d)樺太(からふと)。

(4)冷戦の進行と沖縄
～太平洋の要石に～

占領当初、アメリカは日本の非武装化と民主化を進めようとした。マッカーサーは、「日本は極東のスイスとなり、将来いかなる戦争があろうとも中立を保たなければならない」と繰り返していた。

ところが、その後の東西冷戦の進行によって、状況は変わり始める。第2次世界大戦後、ヨーロッパでは東欧の共産国家と西欧の資本主義国家が対立するようになり、アメリカは西側諸国の援助に乗り出し、1947(昭和22)年にヨーロッパ復興計画(マーシャル・プラン)を発表、1949(昭和24)年には西側の軍事同盟である北太平洋条約機構(NATO)が結成された。

一方、東側諸国を牽引するソ連は1949(昭和24)年、核実験に初めて成功し、アメリカに続き核保有国となった。アジアでは同年、戦後すぐに始まった中国国民党と中国共産党の戦いに共産党側が勝利し、中華人民共和国が誕生した。またその前年には、北緯38度線で南北に分断統治されていた朝鮮の北側に、ソ連の支援を受けた朝鮮民主主義人民共和国が成立している(南側にはアメリカの支援を受けた大韓民国が成立)。

ハリー・S・トルーマン(Harry S. Truman、1884－1972)

ジョージ・フロスト・ケナン(George Frost Kennan、1904－2005)

「シーツ長官と志喜屋知事」(嘉手納政子蔵、『大琉球写真帖』関連)

こうした情勢下、アメリカは日本をアジアにおける「反共の砦」とするため、対日講和条約の締結と日本の再武装化を急ぐようになり、当然それは米軍の沖縄統治政策にも影響を与えた。

1949(昭和24)年5月、ハリー・S・トルーマン米大統領は、国務省のジョージ・ケナンの勧告に基づく、沖縄の軍事施設を強化し、長期に保有すべきという米軍国家安全保証会議(NSC)の方針(NSC13/3)を承認した。戦後一時方針が棚上げされた沖縄であったが、これにより恒久基地化が進められることになった。

太平洋戦争中、日本本土攻撃のための基地として位置づけられた沖縄は、冷戦の進行によって「太平洋の要石」として、再びアメリカの極東軍事政策に組み込まれたのである。

同年10月、琉球列島軍政長官に就任したジョセフ・R・シーツ(1895~1992)少将は、早速沖縄の恒久基地建設に着手する。併せて、沖縄住民の協力を得るため、「復興計画」と「民主化政策」の方針を発表し、新しい政治・行政機構の設置を進めた。

しかし、これらはあくまで、沖縄の恒久的な軍事基地化をしやすくするための手段であった。

●コラム　外国における米軍基地

冷戦時の海外の米軍基地の状況はどうであったか、見てみよう。

第2次世界大戦中、アメリカは戦況に応じて海外の基地を拡大させていったが、ポツダム会談終了後の1945（昭和20）年8月7日、トルーマン大統領はラジオで、「我々の利益並びに世界平和の完全な保護のために必要な軍事基地を維持する」と演説し、海外基地の確保の意思を表明した。

同年10月25日に、米統合参謀本部に承認された、対ソ戦を想定した戦後基地計画によると、軍事基地リストは最重要基地地区、第2重要基地地区、補助的基地地区、副次的基地地区の4段階に区分され、最重要基地地区の中にはパナマ運河地域、ハワイ諸島、マリアナ諸島、フィリピン諸島、アイスランド、プエルトリコなどと共に琉球諸島も含まれていた。

この計画は、財政上の事情などでたびたび見直されたが、アメリカは、平時より本土から遠く離れた前方に基地を展開する戦略を採ることにしたのである。

終戦当初、アメリカはヨーロッパ大陸に米軍基地を置く計画はなかった。しかし、冷戦の進行と共に状況は変化していく。

ドイツには、第2次大戦末期の1945年5月に約200万人の米軍がいたが、1950年には9万8千人にまで減少していた。しかし、1949年5月にドイツ連邦共和国（西ドイツ）が成立し、同年10月にはドイツ民主共和国（東ドイツ）が誕生して、ドイツの東西分裂が確定すると、西ドイツでは、1950年に再軍備が行われ、ドイツ連邦軍が編成された（東ドイツではその翌年、国家人民軍が編成されている）。

そうした中、1950年6月に朝鮮戦争が勃発し、ソ連との緊張が高まると、再び大量の米軍が西ドイツに投入され、1953年には25万人を超えた。ちなみに、西ドイツのNATO加入により、危機感を強めたソ連は1955年、東ヨーロッパ諸国を結集し、NATOに対抗する軍事同盟「ワルシャワ条約機構」を結成している。

ドイツと同じ敗戦国のイタリアは、1947年に連合国との間でパリ平和条約を締結し、それに伴い一旦米軍は撤退したが、1949年のNATO加盟ののち、再び米軍が駐留するようになった。

終戦時に175万人の米兵が駐留していたイギリスも、ほどなく主力の米空軍は引き上げた。ところが、1946年になってアメリカは、イギリスをソ連への航空攻撃の拠点と位置付けるようになり、両国は交渉の結果、イングランド東南部のいくつかの空軍基地をアメリカの爆撃機が利用できるようにするという合意に達した。

これにより、1948年6月に始まったベルリン危機（ソ連による西ベルリンの封鎖）では、アメリカのB-29（爆撃機）が、イギリスに入り、西ドイツへの物資輸送に当たった。

さらに1951年10月、両国はイギリスに無期限のアメリカ空軍基地を設置することで合意した。アメリカが、イギリスの空軍基地からソ連に核攻撃をしかけると、当然ソ連はイギリスに報復の核攻撃を行う可能性が高いことから、核兵器の使用に当たっては英米が合同で決定することとされた（1953年時の駐英米軍は4万7千人）。

なお、フランスについては、1960年代に同国のNATOの軍事部門からの離脱により、米軍は撤退した。

(5)朝鮮戦争と沖縄
～沖縄から米軍機が発進～

1950(昭和25) 年6月25日、北朝鮮軍が38度線を越えて韓国領内に侵入し、両国の間で戦闘が始まった。朝鮮戦争である。この時、北朝鮮の首相は金日成(きんにっせい)(キム・イルソン)(1912~1994)、韓国の大統領は李承晩(りしょうばん)(イ・スンマン)(1875~1965)だった。

東西冷戦を背景に、西側諸国はアメリカを中心にした国連軍に加わって韓国を支援し、東側は、中華人民共和国の人民志願軍（人民義勇軍）が、北朝鮮側に付いて参戦した。

朝鮮半島は正に日本の目と鼻の先。アメリカは米本土やハワイの陸軍部隊に加え、占領下の日本本土にいた地上戦闘部隊を朝鮮半島へ送り込んだ。多数の日本人も、各種労働者として戦地に赴き、犠牲者も出ていたという。

また、**日本本土と沖縄の米軍基地から爆撃機が出撃し、北朝鮮への空爆を行った。その回数は72万980回にのぼったという。沖縄は日本本土の補助的な役割であったが、嘉手納飛行場には1951(昭和26)年から53(昭和27)年にかけて4,000m級の滑走路が整備され、B-29(爆撃機)が配備されて、朝鮮半島への直接出撃基地となった。米軍基地の整備拡張のための土地収用は、嘉手納基地以外にも沖縄各地で本格化した（普天間基地、ホワイトビーチなど）**。

朝鮮戦争(仁川上陸後にソウルで戦う国連軍兵士)

戦争の経過は、素早くソウルを占拠した北朝鮮軍が、南へ進撃を続け、7月初旬には朝鮮半島南端の釜山（プサン）へ迫った。ここで、アメリカのマッカーサー元帥を司令官とする国連軍が編成される。9月15日、マッカーサーは北朝鮮軍の背後を衝くべく、仁川(インチョン)再上陸作戦を展開。ソウルを奪還し、38度線を越え、10月20日には平壌（ピョンヤン）を陥落させ、さらに北進を続けた。

それに対して、中華人民共和国が大量の中国人民義勇軍を投入し、再び国連軍を38度線の南へと押し返した。こうした状況を見て、トルーマン米大統領は休戦を決心し、原爆の使用を主張したマッカーサーを解任する。

長い休戦交渉の結果、1953(昭和28)年7月27日に休戦が成立し、再び38度線が軍事境界線とされた。この年の1月、アメリカではトルーマンに代わって、ドワイト・D・アイゼンハワーが大統領に就任し、3月にはソ連の最高指導者・スターリン書記長が死去していた。

朝鮮戦争による死者の数は、韓国人130万人、中国人100万人、北朝鮮人50万人、アメリカ人5万4,000人とされる。

休戦後アメリカは、朝鮮半島の危機に対応できるように、沖縄にある米軍基地の整備と機能強化を進めていく。朝鮮戦争中の1950(昭和25) 年11月、沖縄、奄美、宮古、八重山の各群島に群島政府が発足し、4地域で普通選挙法により知

「米軍施設/警察予備隊」
(キーストンスタジオ蔵、那覇市歴史博物館提供)

事及び議員が公選された。しかし、4地域の群島政府は、米軍政府から改編された米国民政府の統括のもとに置かれ、「自治政府」としての機能は著しく制約されたものであった。

なお、朝鮮戦争勃発後、マッカーサーは日本での防衛力維持のため、準軍事的な組織として「警察予備隊」を設立するように日本政府に命じた。警察予備隊は1950(昭和25)年8月に発足、これがのちに保安隊を経て、1954(昭和29)年に自衛隊へと発展する。

(6)サンフランシスコ講和条約
～本土から切り離された沖縄～

日本の非武装化と民主化に道筋をつけたアメリカは、これ以上占領を続けると、共産国側からの、アメリカは日本を植民地化しようとしているという批判を裏付けることになると考え、日本を自由主義国の一員に迎えるべく、講和条約の準備を急いだ。

朝鮮戦争の休戦協議が始まりつつあった1951(昭和26)年9月8日、日本と、連合国の西側諸国との間でサンフランシスコ講和条約が調印され、これにより、連合国の日本統治は終了し、日本は独立を果たした(単独講和)。

ただし、日本と長い間戦争を行った中

サンフランシスコ講和条約に署名する吉田茂と日本全権委員団

吉田 茂(1878—1967)

国や、日本が植民地としていた韓国は含まれず、ソ連は直前の記者会見で、「対日講和の目的は米軍を日本に駐留させること(グロムイコ主席代表)」として、調印を拒否した。

講和に際して、日本国内の世論は、全面講和か片面講和(単独講和)かで二分化された。吉田茂首相も当初は、「単独講和と引き換えに基地を提供するような考えは毛頭ない」と述べていた。しかし、最終的には単独講和に踏み切ったのだった。

講和条約では、第2条の規定により、日本は朝鮮や台湾、千島列島、樺太の一部を放棄し、第3条の規定により、沖縄及び小笠原諸島、奄美群島などは独立した日本の領土に含まれず、日本の「潜

米国民政府(上之山国民学校跡)(那覇市歴史博物館 提供)

在主権」は認められたものの、引き続きアメリカの施政下に置かれることになった。沖縄は、ここでもまた日本本土から切り離され、引き続き米軍基地との戦いを余儀なくされる。

1950(昭和25)年に沖縄の米軍政府は、米国民政府に名称変更し、1952(昭和27)年4月1日には自治組織として琉球政府が発足する。琉球政府には民裁判所、立法院、行政府があり、三権を司ったが、その決定を米国民政府は破棄することができた。米国民政府は依然圧倒的な権限を持ち、その指示・命令である布令・布告が法として機能したのである。

サンフランシスコ講和条約は1952(昭和27)年4月28日に発効したが、以来4月28日は、「沖縄デー」と称され、沖縄及び本土の労働者、学生らによる反戦・反基地・反安保のデモ、ストライキなどが行われるようになる。

講和条約により日本本土は独立を回復したが、アメリカの占領軍は駐留軍となってそのまま駐留し続けた。講和条約の第6条には、連合国のすべての占領軍は、この条約の効力発生後、いかなる場合にも90日以内に日本国から撤退しなければならない、とある。しかし、そこには但し書きが付いていて、1または2以上の連合国と日本国との間で結ばれる協定に基づく日本国内の駐屯、駐留は妨げない、となっていた。

■旧安保条約と行政協定

この但し書きに基づき、日米両国は講和条約と同時に、「日本国とアメリカ合衆国との間の安全保障条約」(通称:旧日米安全保障条約)に署名した。朝鮮戦争が継続する中、日米両政府は、引き続き在日米軍基地を必要としたのであった。

この条約により、アメリカに日本全土へ軍隊を配備できる権利が認められ(全土基地方式)、在日米軍基地は「極東の平和と安全」のために使用されることになった。朝鮮戦争で米軍は、日本から朝鮮に出撃することを通じて、「出撃基地」「後方支援基地」「訓練基地」としての日本の重要性に気づき、全土基地方式を採用したとされる。

一方で、アメリカは日本を守る義務が明記されず、日本の内乱や騒擾に対して米軍が介入できるという「内乱条項」もあった。また、日本に駐留する米軍の地位や条件を規定する「行政協定」が定められたが、米軍の出入国特権や日本の裁判権の放棄などを認める、不平等なものであった。

こうして、国内の米軍基地は維持された。講和条約締結当時、日本本土に1,352㎢、沖縄には124㎢の米軍基地があったとされる。しかし、**日本本土の独立後、米軍にとって利用の自由度の高い沖縄の基地は価値を増し、面積を増加させていくことになる。**

〈サンフランシスコ講和条約第3条〉

日本国は、北緯29度以南の南西諸島（琉球諸島及び大東諸島を含む。）孀婦岩南の南方諸島（小笠原群島、西之島及び火山列島を含む。）並びに沖の鳥島及び南鳥島を合衆国を唯一の施政権者とする信託統治制度の下におくとする国際連合に対する合衆国のいかなる提案にも同意する。このような提案が行われ且つ可決されるまで、合衆国は、領水を含むこれらの諸島の領域及び住民に対して、行政、立法及び司法上の権力の全部及び一部を行使する権利を有するものとする。

ジョン・フォスター・ダレス
(John Foster Dulles、1888－1959)

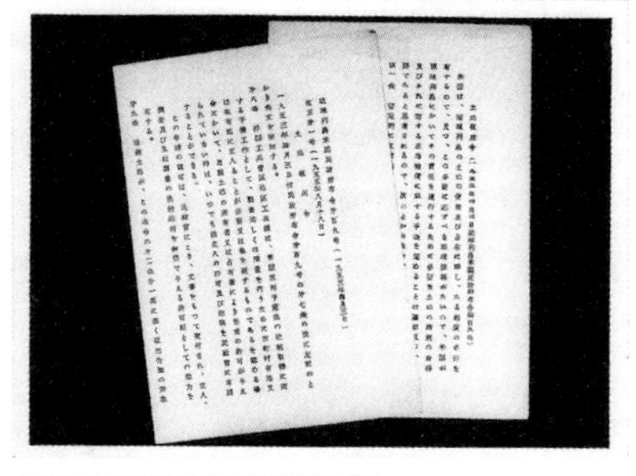
土地収用令(那覇市歴史博物館 提供)

(7) 土地収用をめぐる「島ぐるみ闘争」
～プライス勧告への住民の怒り～

1952(昭和27)年12月25日、サンフランシスコ講和条約第3条において、日本本土と切り離された沖縄、奄美、小笠原などの諸島のうち、奄美大島が返還された。返還協定調印に当たり、アメリカのジョン・フォスター・ダレス国務長官は、極東に脅威と緊張がある限り、アメリカは第3条に明記された沖縄などのその他の諸島について、現状の力と権限を維持し続けることが、アジア及び世界の平和と安定に必須である旨の声明を発表する。

「ブルースカイ・ポジション」と呼ばれるこの方針により、沖縄の返還は先送りされたのだった。ちなみに、小笠原諸島は沖縄より4年早く1968(昭和43)年6月に返還される。

講和条約が締結され、戦争状態が終結したことにより、沖縄では、住民の土地所有権に基づく、軍用地使用料支払いのための法整備が進められ、**1953(昭和28)年4月3日に、米国民政府布令第109号「土地収用令」が公布される。**

しかし、その中身は、戦後にいったん住民の居住や耕作を認めた土地であっても、新たな基地建設等に必要であれば、住民がこれを任意で提供・賃貸借契約に応じなければ、強制的に収用するというものであった。

この布令によって、1953(昭和28)年4月から1955(昭和30)年7月にかけ、真

米軍による伊佐浜の土地接収と住民（那覇市歴史博物館 提供）

平和通りでの「こじき行進」（阿波根昌鴻蔵、那覇市歴史博物館提供）

和志村安謝・銘苅・小禄具志（現・那覇市）、伊江村眞謝、宜野湾村伊佐浜（現・宜野湾市）などで、**米軍は住民に銃剣を向け、ブルドーザーで家屋を倒壊させるといった、「銃剣とブルドーザー」と呼ばれる暴力的土地接収行った。**

1955（昭和30）年7月、伊江島農民による「乞食行進」が行われた。伊江島は米軍上陸前から7,000人の島民が本島などに避難していたが、その間に米軍による基地の整備が進み、戦後さらに軍用地の接収が進んで、最大時には島の面積の6割に及んだ。

乞食行進は、米軍に家や農地を奪われた伊江島農民が、窮状と支援を訴えるため、沖縄本島を縦断したもので、翌年2月まで続けられた。

それに先立つ1954（昭和29）年3月、米国民政府は軍用地の一括払いという米陸軍省の計画を発表した。地価相当額を一度に支払うことによって、限定付き土地所有権（永代借地権）を設定しようとするものであった。

これに対して、住民側の琉球立法院は、事実上の土地買い上げに等しいこの計画に対して、激しく抵抗し、「一括払い反対」「適正補償」「損害補償の早期支払い」「軍用地の新規接収反対」の「土地を守る4原則」を掲げ、1954（昭和29）年4月、4者協議会（琉球政府・立法院・市町村長会・軍用土地連合会）を結成して、米国民政府と交渉することになった。

しかし1955（昭和30）年8月、米軍当局は、基地周辺地域への米兵の立ち入り禁止令、いわゆるオフ・リミッツを発令した。これは、基地に依存している地域に経済的ダメージを与え、基地に反対する住民へ圧力を加えようとするものであった。

米国民政府との交渉では埒が明かない

ププライス勧告に抗議する住民
（那覇市歴史博物館提供）

ため、4者協議会は1955(昭和30)年6月、アメリカ本国へ出向き、政府や議会に直接訴えたのだった。それを受け、米下院軍事委員会は、M・プライス議員を代表とする調査団を同年10月沖縄に派遣した。

現地調査を行ったプライス調査団は、その結果を報告書にまとめ1956(昭和31)年6月、議会に提出した。いわゆる「プライス勧告」である。

しかし、**プライス勧告は、沖縄の軍事的重要性を(本土の基地縮小も踏まえ)強調し、若干の軍用地料の引き上げを除いては、住民側の要求をことごとく否定するものであった。プライス勧告の内容が沖縄に伝えられると、沖縄の人々の怒りが爆発し、のちに「島ぐるみ闘争」と呼ばれる民衆運動が巻き起こった。沖縄各地の市町村で住民集会が開催され、その参加者数は16万人から40万人に及んだ。**

プライス勧告は「(沖縄には) 強烈な民族運動がない」としていたが、この住民闘争の前に米側は、一括払いとは土地買い上げではなく、土地使用権であるとし、軍用地料を大幅に引き上げるとともに、5年ごとに土地の再評価を行う事とした。その結果、島ぐるみ闘争は、1958(昭和33)年秋には一応の終息を見たのであった。

(8)本土から沖縄への海兵隊移駐 ～基地が倍増～

沖縄の米軍基地は1950年代後半に、本土からの海兵隊移転に伴い飛躍的に増加する。その経過を見ていこう。

終戦時、旧日本軍用地は3,000㎢であったが、当初占領軍が使用したのは、そのうち456㎢ほどであった。しかし、その後

ドワイト・デビッド・アイゼンハワー
(Dwight David Eisenhower、1890−1969)

占領軍によって土地接収が行われ、前述したとおり、1952(昭和27) 年のサンフランシスコ講和条約締結時の日本本土の基地面積は、1,352㎢に達していた。

1953(昭和28) 年、アメリカではトルーマンに代わり、ドワイト・D・アイゼンハワーが大統領に就任する。独立回復後、本土では内灘(うちなだ)闘争 (石川県) や砂川(すながわ)闘争 (東京都) など各地で反米反基地運動が盛んになり、日本の米国離れを危惧したアメリカは、日本の防衛力増強より、経済振興を優先することとし、本土の陸上兵力を撤退させる方針を立てた。

その方針に基づき、まず1955(昭和30) 年7月に、第3海兵師団の第9海兵連隊が大阪のキャンプ堺から沖縄のキャンプ・ナプンジャへ移り、続いて1956(昭和31) 年2月には、第3海兵師団司令部がキャンプ岐阜から沖縄のキャンプ・コートニーへ移転した。

その後、「島ぐるみ闘争」を受けて、アメリカは海兵隊の本土から沖縄への移転を見直すようになる。そして、沖縄の代替地としてグアムが候補地に上がった。ところが、**1957(昭和32) 年1月、群馬県**

相馬原（そうまがはら）で米兵が主婦を銃殺するというジラード事件が起こる。

日本国内では激しい反発が起こり、アメリカは日本政府からの申し入れを受け、本土の米軍陸上兵力の速やかな撤退を決定する。だが、グアムでの基地建設の時間的余裕がなく、アメリカ占領下の沖縄へ移転させるしかなかった。ここにも沖縄の不運があった。

結局、キャンプ岐阜、キャンプ堺に加え、キャンプ富士（山梨県）や静岡県御殿場市、滋賀県大津市、奈良市、神戸市などに駐留する海兵隊などの米軍が、沖縄へと移転した。この結果、近畿、中部、四国にはほとんど基地がなくなった。一方、沖縄では移転してきた海兵隊により、キャンプ・シュワブ、北部訓練場、キャンプ・ハンセンが整備され、普天間飛行場は陸軍から空軍を経て海兵隊に移管された。

今でこそ在日米軍基地（専用施設）の7割が沖縄に集中するが、1950年代はじめには、在日米軍基地の90％近くは、日本本土に置かれていたといわれる。ところが、1960（昭和35）年時点では、本土の米軍基地は1952（昭和27）年の4分の1（1,352㎢→335㎢）に減ったが、沖縄の米軍基地は逆に1951年から1.7倍（124㎢→209㎢）に増加しているのだ。

なお、本土の米軍兵力は、1954（昭和29）年6月末の18万人余りから1960（昭和35）年9月末には4万6,000人にまで減少した。一方沖縄では、1953（昭和28）年の2万3,000人から1960（昭和35）年9月には3万7,000人に増加している。本土の基地縮小のしわ寄せを、沖縄が被（こうむ）った格好であった。

〈1953（昭和28）年における日本本土の主な米軍基地〉

北海道	千歳（ちとせ）、真駒内（まこまない）、勇払（ゆうふつ）、八雲（やくも）
東北	関根、三沢、八戸、神町（じんまち）、大高根（おおたかね）、松ケ崎、王城寺原（おうじょうじはら）、霞目（かすみめ）、松島、仙台、台の原
関東	相模原、府中、立川、入間川（いるまがわ）、横田、座間、厚木、横須賀、根岸、木更津（きさらづ）、市ヶ谷、習志野（ならしの）、朝霞（あさか）
中部	富士山麓、小牧、守山、小松、各務原（かがみがはら）、岐阜
近畿	饗庭野（あいばの）、大津、舞鶴、伊丹、奈良、信太山（しのだやま）、青野原（あおのがはら）
中国	日本原（にほんばら）、美保、江田島、岩国、宮野、山口、防府（ほうふ）、小月（おづき）、太田
九州	芦屋、雁ノ巣（がんのす）、博多、小倉、佐世保（させぼ）、板付（いたづけ）、大野原、熊本、築城（ついき）、十文字原（じゅうもんじばる）、別府、日出生台（ひじゅうだい）

〈2019（令和元）年末現在の日本本土における主な米軍基地〉

①陸軍
相模（神奈川県相模原市）
座間（神奈川県座間市・相模原市）
車力（しゃりき）（青森県つがる市）
経ヶ岬（きょうがみさき）（京都府京丹後市）
②海軍
横須賀（神奈川県横須賀市）
厚木（神奈川県綾瀬市・大和市）
佐世保（長崎県佐世保市）
③空軍
横田（東京都多摩地域中部）
④空軍・海軍・陸軍
三沢（青森県三沢市）
⑤海兵隊・海軍
岩国（山口県岩国市）

日本本土の主な米軍基地

「令和2年版　防衛白書」より作成

●コラム　「海兵隊とはいかなる軍隊か」

アメリカの海兵隊の原点は、1776年のアメリカ独立戦争にあるとされる。イギリスと戦うため、酒場などで兵を集め、「大陸海兵隊」として編成したのが始まりという。その後、平和時にはたびたび廃止されたが、海賊退治や、税関・沿岸警備隊への協力などで復活し、現在まで存続してきた。

海兵隊は、海軍の下部組織であり、海軍の輸送船で移動し、海浜から攻め上がる強襲上陸を得意としていた。アメリカ本土の防衛が任務に含まれない外征専門であることから、「殴り込み部隊」とも称される。

2010（平成22）年時点の総兵力は20万人と米軍全体（140万人）の中では最小だが、強襲上陸の肉弾戦に備え、隊員は他の軍とは比べものにならない厳しい訓練を重ね、少数精鋭主義をアイデンティティとする最強の戦闘集団である。

第1次世界大戦のフランス、ベロー・ウッドの戦いや、太平洋戦争ではガダルカナル島、サイパン島、ペリリュー島、硫黄島、沖縄での戦いなどで活躍したが、精密兵器が主流の近代戦では、「伝統技」を披露する機会が減り、1950（昭和25）年9月の朝鮮戦争での「仁川（じんせん）（インチョン）上陸」を最後に大規模な上陸作戦を行っていない。

ベトナム戦争での参戦はあったものの、後年のイラク戦争（2003年）やアフガニスタン紛争（2001年～）では、海兵隊はもっぱら陸上勤務を行っており、「陸軍と何が違う?」と疑問視されていたという。

1950年代、沖縄へ大挙移ってきた海兵隊に与えられた役割は、第一に朝鮮半島での戦争再発時の支援、第二、第三がベトナムとラオスでの任務とされていた。しかし、朝鮮半島には日本本土のほうがはるかに近く、装備や人員を運ぶには本土の佐世保港や横須賀港の基地が使用できた。

沖縄移転の真の理由は、本土の反基地運動をなだめるために、住民に対して問題を起こす部隊を撤去することにあったともいわれる。前述のとおり、沖縄の米軍兵力は、1953（昭和28）年の2万3,000人から1960（昭和35）年9月には3万7,000人に増加したが、そのうち海兵隊は、1955（昭和30）年に配備された時には6,000人であったものが、1960（昭和35）年には1万5,000人と飛躍的に増加している。

上陸用船艇から沖縄本島へ上陸する米海兵隊員（那覇市歴史博物館 提供）

(9)沖縄と核
～隠されていた核配備～

1949(昭和24)年、ソ連が原爆の開発に成功すると、アメリカは原爆の数百倍の威力を持つ水爆の開発を急ぎ、1952(昭和27)年に完成させた。しかし、ソ連もすぐに追随し、米ソは水爆実験を繰り返すようになる。

日本の漁船・第五福竜丸が、ビキニ沖でアメリカの水爆実験に巻き込まれたのは、1954(昭和29)年3月のことである。東西冷戦は新たなステージに入り、ひとたび核戦争が勃発すれば、世界は破滅の危機に瀕(ひん)することになった。

そうした時期、沖縄には多数の核兵器が配備されていたことが、2017(平成29)年9月10日放送のNHKスペシャル「沖縄と核」で報じられた。アメリカ国防総省が機密解除した文書などを元に、現地取材を行い製作したもので、それによると、1950年代半ば以降、沖縄には19種類の核兵器が配備され、その数は最大で1,300発にも及び、1959(昭和34)年には那覇基地内で核ミサイルの誤射事故も起こっていたという。

1953(昭和28)年、アメリカのアイゼンハワー大統領は、朝鮮戦争により増大した軍備を縮小するため、米陸上兵力の削減とともに、核兵器重視の対ソ戦略を発表した。いわゆる「ニュールック戦略」である。その戦略に基づき、極東の共産勢力に対抗する核兵器の基地として選ばれたのが沖縄だった。日本の内情としては、本土住民の「反核感情」を重く見た日米政府により、沖縄への核配備の流れが出来たとされる。

第五福竜丸(被曝事件前)

1945年7月16日、アメリカは人類初の核実験に成功(トリニティ実験)

そして、1957(昭和32)年5月、迎撃用ミサイルであるナイキ・ハーキュリーズの発射基地が沖縄県内8ヵ所で建設中であることが発表された。1960(昭和35)年3月にはホークミサイル(地対空ミサイル)用基地8ヵ所の建設が発表され、翌1961(昭和36)年3月には、メースB(攻撃型核ミサイル)ミサイル基地4ヵ所の建設が発表された。

ナイキ・ハーキュリーズは、核弾頭搭載可能な「核・非核両用兵器」で、1959(昭和34)年6月、沖縄に配備されたナイキ・ハーキュリーズが、誤って発射され、海上に突っ込んだ事故があったという。核弾頭が搭載されていた可能性があり、幸い大

ナイキ・ミサイル・ファミリー。中央がナイキ・ハーキュリーズ

トラックに乗せられたメースB

きな被害はなかったが、事実は極秘とされた。

メースBは、「慣性誘導装置」が内蔵されており、飛行中に自動的に高度や方向を修正して、目標地に向かうことが出来た。射程は2,400㎞に及び、ロシアの東海岸から東南アジアまで広大なエリアが攻撃対象となり、ナイキ・ハーキュリーズとは異なる、攻撃型の核ミサイルだった。

なお、嘉手納基地の弾薬庫などが、核弾頭等の核兵器を保管する核貯蔵施設として、使用されていたといわれる。こうしたミサイル基地の用地の多くも、また、土地所有者からの新規接収によって確保されたのだった。

1960年代後半には、沖縄に核兵器が配備されていることは、沖縄の人々の間でも徐々に知られるようになり、だからこそ、1972（昭和47）年の沖縄の本土復帰に際して、「核抜き、本土並み」との条件が持ち出されるようになった。しかし、「核抜き」の代償として、沖縄は「基地の固定化」という問題を抱えることになる。

（10）日米安全保障条約
～対象外となった沖縄～

サンフランシスコ講和条約時に締結された旧日米安全保障条約が、1960（昭和35）年に失効するに伴い、新たに日米安保条約が日米間で調印された。

前述したとおり、旧日米安保条約は、日本にとって不平等な部分が少なからずあり、岸信介（のぶすけ）首相は同条約の改正をアメリカに打診した。当初、アメリカは消極的であったが、「内灘事件」や「砂川事件」などの基地反対運動を通じ、日本国内で反米の機運が高まったことにより、交渉に応じる方向に転じたのだった。

1958（昭和33）年10月から改定作業が始まり、1960（昭和35）年1月19日、新安保条約は調印された。新安保条約では、旧安保条約で不平等の象徴とされた「内乱条項」が削除された。

さらに、第5条において、日米両国は、日本国の施政下にある領域において、いずれか一方への武力攻撃に対し、自国の憲法上の規定及び手続に従って、共通の危険に対処するよう行動すると定められた。すなわち、アメリカによる日本の防衛義務は明記されたが、一方で、在日米軍基地が攻撃された際、日本も攻撃に対処する義務を負うことになり、憲法9条との関係で、いわゆる「集団的自衛権」（ある国が

戦前、商工相を務めていた時の岸信介(1896―1987)(左)と東條英機首相

武力攻撃を受けた場合、この国と密接な関係のある別の国が共同して防衛に当たる権利）の行使に関わる問題を抱えることになった（2015年9月、安全保障関連法の成立により、日本はそれまでの憲法解釈を変更し、集団的自衛権を容認する方向に舵(かじ)を切った)。

第6条では、日本は米軍へ施設・区域を提供する義務があると定められた。そして、施設・区域の使用や日本での米軍の地位は、旧安保条約に基づく行政協定に代わる別個の協定で定めることとされ、この条項に基づき、日米地位協定が結ばれるのだが、これについて後述する(P66)。

また、条約の第6条に関わる交換公文では、アメリカは、核弾頭の持ち込みなど、日本に配備する米軍装備の重要な変更や、日本から行われる戦闘作戦行動における日本国内の施設の基地としての使用には事前協議が必要とされた。

しかし、安保改定後、事前協議は一度も行われたことはなく、ベトナム戦争、湾岸戦争、アフガン戦争、イラク戦争などでは、在日米軍基地から米軍は出撃しており、「日本から行われる戦闘作戦行動」であったが、事前協議は行われなかった。

また、「米軍の装備における重要な変更」に該当する核の持ち込みに関しては、核搭載の艦船や航空機の日本の領空、領海の通過、寄港は事前協議の対象となる「核の持ち込み」には当たらないとの密約があったとされる。

安保の改定作業では、返還前の沖縄を対象とするかどうかで議論となった。当初、アメリカの草案には、条約区域を「太平洋地域」とし、沖縄・小笠原も入っていた。しかし、米軍部が反対の姿勢を示し、日本国内でも、沖縄を含めることで、「事前協議の対象にされることによって、沖縄に核などが持ち込めず、日本の安全が脅(おびや)かされる」(保守陣営)、「アメリカの戦争に巻き込まれる」(革新陣営)といった懸念の声が上がった。

結局、沖縄は条約区域から外(はず)されて、新日米安保条約は調印される。事前協議制度の導入により、本土の米軍基地の使

「日米安全保障条約第6条」

日本国の安全に寄与し、並びに極東における国際の平和及び安全の維持に寄与するため、アメリカ合衆国は、その陸軍、空軍及び海軍が日本国において施設及び区域を使用することが許される。

前記の施設及び区域の使用並びに日本国におけるアメリカ合衆国軍の地位は、1952年2月28日に東京で署名された日本国とアメリカ合衆国との間の安全保障条約第3条に基づく行政協定（改正を含む）に代わる別個の協定及び合意される他の取極により規定される。

国会を取り囲んだ安保反対のデモ隊（1960年6月18日）

用は制約されることになり、米軍部にとって、自由に使用できる沖縄の基地の戦略的価値は高まった。

米軍部は、日本本土の米軍基地の役割を兵站・補給基地と位置付け、沖縄の米軍基地は空軍や海兵隊の配置によって、出撃基地としての役割を増大させるという再定義を行っており、安保改定は、沖縄の米軍基地の自由使用があったからこそ、可能になったともいえる。

沖縄が日米安保条約の対象となるのは、本土復帰を果たす1972（昭和47）年からであり、以降、米軍基地との関わりにおいて、その影響を大きく受けることになる。

新安保条約は、前述のとおり1960（昭和35）年1月19日に調印されたが、多くの国民が反対するようになり、国会には2,000万人を超える「安保承認反対」の請願が提出された。

しかし、岸首相は5月19日、国会に警察隊を導入し、衆議院で新安保条約を強行採決した。その後国会周辺では、連日20万人を超える学生や市民がデモを行い、6月15日には全学連のデモ隊と警察が国会内でもみ合い、東大の女子学生・樺美智子さんが死亡する悲劇に発展した。

6月19日、33万人のデモ隊が国会を取り囲む中、新安保条約は自然成立した。岸首相は自衛隊の治安出動を要請し、実際、市ヶ谷の自衛隊駐屯地には、陸上自衛隊の戦車50両が待機していた。

新安保条約の効力は10年で、その後は双方のいずれかが終了の意思を通告してから1年後に無効となる（10条）。1970（昭和45）年の条約延長に際しても、激しい反対運動（70年安保闘争）が行われたが、結局自動延長されたため、条約は今日まで存続している。

（11）キューバ危機とベトナム戦争
～緊迫する沖縄の米軍基地～

1962（昭和37）年10月半ば、アメリカは、1959（昭和34）年のフィデル・カストロらによるキューバ革命以後、社会主義陣営に与していたキューバに、アメリカ本土を射程内とするソ連製の中距離核ミサイルが配備されていることを確認した。同月22日、ジョン・F・ケネディ米大統領はテレビで事態を公表するとともに、海上封鎖を宣言し、ソ連の貨物船に対して臨検を行うとした。

これに対してソ連のフルシチョフ首相は、強く反発し、封鎖を無視する意向を発表、世界は核戦争の危機に直面した。いわゆる「キューバ危機」である。

この時、アメリカだけでなく、西ドイツなどのヨーロッパや、中国に近い極東でも臨戦態勢が取られたという。**沖縄の米軍基地では、「警戒体制（デフコン）2」という戦争寸前の緊急態勢が取られ、配備されたすべてのメースB（攻撃型核ミサイル）が、中国に向けて発射準備の態勢に入ったとされる。**

幸いキューバ危機は、フルシチョフの申し入れにより交渉が行われ、10月28日、アメリカがキューバに進攻しないことを条件にソ連がミサイルを撤去することに同意し、最悪の事態は回避された。しかし、一つ間違えば沖縄を含めて日本は壊滅を免れなかったほどの大事件だった。

1960年代、マックスウェル・テイラー陸

マクスウェル・ダヴェンポート・テイラー
（Maxwell Davenport Taylor、1901－1987）

軍大将は、「全面核戦争を想定した軍事力だけでは、共産主義の政府転覆やゲリラ戦略に対抗できない」と主張し、ベトナム戦争などでは、核兵器に依存した大量報復戦略では勝利は困難とした。

1961（昭和36）年にアイゼンハウアーに変わって米大統領に就任したケネディは、テイラー大将を軍事顧問に迎え、共産主義国に対し、脅威に応じて通常兵器から核兵器までを段階的に使用する「柔軟反応戦略」を採用した。

アジアでは、共産圏諸国の周辺に前線基地群を配置し、沖縄をその要石として重要視した。

沖縄の基地は、ゲリラ部隊から核兵器までの兵力が配備され、かつ米軍が自由

フィデル・アレハンドロ・カストロ・ルス
（Fidel Alejandro Castro Ruz (Speaker Icon.svg audio), 1926－2016）1959年のアメリカ訪問時のフィデル

ジョン・フィッツジェラルド・ケネディ
（John Fitzgerald Kennedy、1917－1963）

ニキータ・セルゲーエヴィチ・フルシチョフ
（Ники́та Серге́евич Хрущёв、1894年－1971）

に使用することができたからである。実際、ベトナム戦争において、沖縄は米軍の出撃、補給、訓練などの拠点として、大きな役割を果たした。

一方でケネディは、1961(昭和36)年6月の池田隼人(はやと)首相との会談後の日米共同声明で、沖縄は米国の施政下にあるが、同時に日本が潜在主権を保有し、琉球住民の安寧と福祉を増進するための日本の協力を歓迎するとした。

ところが、沖縄統治の責任者であるポール・キャラウェイ高等弁務官は、ケネディ政権の方針を無視して、日本政府の沖縄への関与を排除しようとし、琉球政府に対しては法案拒否や人事介入といった強権的な統治政策を進めた(キャラウェイ旋風)。キャラウェイは、1963(昭和38)年3月の演説で、米軍統治下の沖縄では「自治権は神話」であると発言し、沖縄住民の大きな反感を買った。

第2次世界大戦以降、ベトナムでは紛争が続いていたが、アジアでの共産主義の蔓延を恐れたアメリカは、1961(昭和36)年に南ベトナムへ援軍を送り、1964(昭和39)年8月のトンキン湾事件(ベトナム北東のトンキン湾で、北ベトナム軍の魚雷艇が、米軍の駆逐艦に攻撃を仕掛けたという事件)をきっかけにベトナムへの本格介入を始めた。アメリカの大統領は、1963(昭和38)年11月にケネディが暗殺され、リンドン・B・ジョンソンに代わっていた。

飛来するB-52と沖縄の農夫(那覇市歴史博物館 提供)

1965(昭和40)年2月8日、沖縄の米海兵隊航空ミサイル大隊が、南ベトナムのダナンに派遣され、以後沖縄は、アメリカのベトナム戦争への出撃基地としてフル稼働する。また、北ベトナムへのプロパガンダ作戦など、ベトナム戦争の影の部分を担った陸軍第7心理作戦部隊も沖縄に配置された。

北部訓練場では、ベトナムでのゲリラ訓練が行われ、陸軍第2兵站部隊の牧港(まきみなと)補給基地からは、多くの日用品や軍事資材がベトナムの前線に送られた。出撃・補給に活用された嘉手納基地で

池田 隼人(1899―1965)

リンドン・ベインズ・ジョンソン
(Lyndon Baines Johnson、1908―1973)

は、1967(昭和42)年5月に2本の滑走路が、全長3,250mにまで拡張され、極東最大の空軍基地となった。

ベトナム戦争中に沖縄の米軍は、1960(昭和35)年の約3万7,000人から1964(昭和39)年には4万6,000人へと増強された。その結果、沖縄では米軍演習の激化とともに、事故被害や米兵の犯罪が多発し、沖縄県祖国復帰協議会(復帰協)を中心に抗議運動が高まっていく(復帰協についてはP56参照)。

1968(昭和43)年2月5日以降、嘉手納基地に配備されたB-52(戦略爆撃機)は、同年11月19日に墜落炎上し、島ぐるみのB-52撤去闘争が繰り広げられた。日米両政府は、1970(昭和45)年の日米安保条約延長での混乱を恐れ、日米関係を維持するために、沖縄返還問題の解決を考えるようになる。

(12)本土復帰
～しかし、基地は減らなかった～

1965(昭和40)年8月、前年に首相に就任した佐藤栄作は、戦後の首相として初めて沖縄を訪問し、「沖縄の祖国復帰が実現しない限り、我が国にとって『戦後』が終わっていないことをよく承知しております」と、沖縄の人々に語り掛けた。

これをきっかけに、日米政府による沖縄返還交渉がはじまる。ベトナム戦争に対する日本国内や沖縄での反発が強まる中、両政府とも、1970(昭和45)年の安保条約期限を迎える際に、60年安保の時のような混乱を避けたいという思いがあり、そのためには、沖縄返還を急ぐ必要があるとされたのだ。

交渉の方針として、日本は「核抜き、本土並み」を唱え、アメリカ側は「基地の自由使用」を確保しようとしたとされる。「核抜き、本土並み」とは、沖縄から核兵器を撤去するとともに、日本本土と同様に、事前協議制度を含めて日米安保条約を適用するというもので、佐藤首相は1968(昭和43)年1月30日の施政方針演説で、「我が国の核政策」として「核兵器を持たず、つくらず、持ち込ませず」という非核三原則を表明している。

そして、1969(昭和44)年11月、佐藤(首相)・ニクソン(米大統領)共同声明により、沖縄の施政権が1972(昭和47)年に日本へ返還されることが決定した。1970(昭和45)年6月、沖縄返還協定の調印が行われるが、その際、返還後の基地の扱いについての覚書が交わされた。

その中で、復帰後も米軍に提供する施設がA表、復帰後漸次返還される施設がB表、復帰時に全部または一部を返還する施設がC表として示された。A表には、嘉手納基地、普天間飛行場、那覇軍港など88施設が記され、C表には那覇空港や与儀(よぎ)石油施設など34施設のみであった。沖縄空港はC表に入っていたものの、

佐藤 栄作(1901－1975)

リチャード・ミルハウス・ニクソン
(Richard Milhous Nixon、1913－1994)

P-3（対潜哨戒機）の移転費用については、日本側が負担することになった。

なぜそういう結果になったのか。1969（昭和44）年1月、ジョンソンに代わって米大統領となったリチャード・ニクソンは、ベトナム戦争さ中の1969（昭和44）年7月25日、ニクソン・ドクトリンを表明する。その狙いは、疲弊した国力とドル危機からの脱却を図るため、局地防衛任務は同盟国にやってもらって、アメリカは海外の駐留基地から地上戦闘部隊を撤収し、軍事費を節約することにあった。

この方針に基づき、ベトナム、韓国、フィリピンなどに駐留する米軍は、大幅に縮小された。ニクソン・ドクトリンは日本にも適用され、日本本土の駐留米軍は1968（昭和43）年の4万1,000人から、1972（昭和47）年には2万1,000人に半減した。

ニクソンは1971（昭和46）年7月15日、国交のなかった中国を訪問することを発表し、世界を驚かせた。そして、翌1972（昭和47）年2月に訪中し、毛沢東らと会談、米中国交回復の道筋を付けたのだった。

ところが、**ここでも沖縄は、返還交渉が進められているにも関わらず、特別扱いされた。ニクソン・ドクトリンの元で、アメリカの極東戦略上、沖縄はむしろ重要になるとされたのだ。沖縄の米軍基地の縮小は進まず、逆にベトナムから海兵隊の移転が始まった。**

1969（昭和44）年から1971（昭和46）年にかけて、第9海兵連隊がキャンプ・シュワブへ、第3海兵師団司令部がキャンプ・コートニーへ、第4海兵連隊がキャンプ・ハンセンへ、第36海兵航空群が普天間飛行場へ、第3海兵水陸両用軍司令部がキャンプ・コートニーへ、第12海兵連隊がキャンプ・ハーグへ、それぞれ再配備が行われた。

さらには、この時期本土の三沢基地と横田基地から、米空軍のF-4戦術大隊が沖縄の嘉手納基地へ移転してきている。

こうして、**沖縄の海兵隊兵力は、1968（昭和43）年の1万1,000人から1972（昭和47）年には1万6,000人に増加した。これ以降、沖縄は第3海兵水陸両用軍（のちの海兵遠征軍）の本拠地となった。**

1972（昭和47）年5月15日、ついに沖縄は日本に返還されたが、総面積287㎢の巨大な米軍基地と、4万1千人余りの米軍兵力が維持されたのである。

■復帰運動

沖縄住民による復帰運動は、米軍占領間もない1945（昭和20）年8月13日、収容所にいた有志が「対日講和の際、沖縄は日本の一部として残るように、ワシントン政府に進言してもらいたい」との陳情書を米軍隊長に提出し、その後、在京の有志も含めてマッカーサー司令部に陳情した頃より、始まっている。

アメリカは沖縄に関し、占領当初から軍事基地として使用する以外に領土的野心はないことを明らかにしていたが、冷戦時代を通じて、復帰運動を反米、共産主義者の運動とみなし、徹底した弾圧を加えた。

サンフランシスコ講和条約で、沖縄が日本から切り離された後の1954（昭和29）年2月、前年1月に結成された沖縄諸島祖国復帰期成会の屋良朝苗会長は、琉球米国民政府オグデン副長官宛の書簡で、「我々の祖国日本は、米国と緊密な協

屋良 朝苗（1902－1997）

調関係にあり、（旧）日米安保条約によって、米国は多くの基地を日本本土内に維持している。沖縄が日本に復帰しても、沖縄の米軍基地は当然同条約によって維持できると、我々は考える」と述べ、融和的に米側を説得しようとしている。

1954（昭和29）年5月以降に復帰期成会が自然消滅し、復帰運動は中断するが、土地闘争や人権闘争に継承されていった。安保闘争が激しさを増していた**1960（昭和35）年4月28日、沖縄教職会など17の団体が参加して、「沖縄県祖国復帰協議会」（復帰協）が結成された。**

復帰協は、沖縄の日本復帰により、平和主義・基本的人権の尊重を掲げる日本国憲法の適用を受けることが必要であると訴えた。以後、この復帰協が沖縄の幅広い問題にかかる闘争の推進母体となる。

一方で、沖縄のアイデンティティを重んじる立場から、「反復帰論」や「独立論」、「時期尚早論」などを唱えるグループもあった。そうした中では、本土復帰は、琉球王国を廃して沖縄県を設置した琉球処分、サンフランシスコ講和条約第3条による切り捨て（第2の琉球処分）に続く、第3の琉球処分だ、とする見方も広まった。

ちなみに、国連の各委員会は現在も琉球民族を先住民族であると認識し、日本政府にその保護政策を求めている。

復帰協が最初に取り組んだのは、1960（昭和35）年6月19日の、沖縄を訪れたアイゼンハワー大統領への復帰請願デモであった。このデモでは、デモ隊と米軍・警官隊が衝突する事態となった（アイゼンハワーはこの日、日米安保条約の成立を記念して岸首相から日本への招待を受けていたが、安保闘争の激化から訪日は中止された）。

沖縄返還が決定した後、復帰協は「安保闘争と結合させた復帰闘争」に取り組

復帰協の結成（那覇市歴史博物館 提供）

アイゼンハワー米大統領来訪時の復帰協の請願デモ（那覇市歴史博物館 提供）

むようになる。「佐藤・ニクソン共同声明は、沖縄の核基地を安保条約の適用範囲に含めることによって、日本全土を核武装化し、日本の軍国主義の復活と沖縄の核付き、基地の自由使用を打ち出し、沖縄を日米で共同管理し、県民に犠牲と屈辱の十字架を押し付けようとしている」と分析、「日米共同声明路線を粉砕し、沖縄の完全復帰を勝ち取ろう」「安保条約を廃棄し、憲法改悪、軍国主義復活を阻止しよう」「ベトナム、カンボジアの侵略戦争に反対し、アジアにおける緊張の根源である一切の軍事基地を撤去させよう」などの闘争目標を定めた。

沖縄は、1972（昭和47）年5月15日に本土復帰したが、復帰協が解散したのは、それからちょうど5年後の1977（昭和52）年5月15日だった。

■軍用地提供

本土復帰によって、沖縄は日米安保条約の該当地域に組み込まれることになり、沖縄の米軍基地は、同条約及びそれに基づく日米地位協定による提供施設・区域として引き継がれた。これにより、日本政府は沖縄の軍用地所有者から土地の提供を受け（賃貸借契約を行い）、米軍に提供する形をとらねばならなくなった（復帰までは琉球政府が地主と契約を交わし、アメリカが地代を払っていた）。

戦前の日本陸海軍基地がベースとなっていた本土の基地と異なり、沖縄の軍用地は米軍の土地接収によって拡大されてきたため、公有地・民有地の割合が大きかった（約3分の1が民有地であった）。

年間軍用地料は復帰前の6.5倍に引き上げられたが、当時3万人といわれた軍用地主のうち約3,000人は、契約拒否の意志を示し、そのうちの約7割が集まって、1971年12月9日、「反戦地主会」が結成された。**そこで政府は、同年12月30日、「沖縄における公用地等の暫定使用に関する法律」（公用地暫定使用法）を制定し、返還前からの軍用地は、返還後5年間は、土地所有者の意思に関係なく、公用地（軍用地）として継続使用できるようにした。**

しかし、5年後の1977（昭和52）年になっても、契約拒否地主（反戦地主）は約400名あり、政府は地籍明確化法を制定し、その付則で公用地法をさらに5年間延

◇◇

●コラム　国連委員会による勧告

2008（平成20）年10月31日、国連人権委員会が日本政府に対して「アイヌ民族及び琉球民族を国内立法下において先住民族と公的に認め、文化遺産や伝統生活様式の保護促進を講ずること」を勧告。さらに2010（平成22）年3月と2014（平成26）年8月には、国連人権差別撤廃委員会が日本政府に対して、沖縄の人々は「先住民族」であり、沖縄の民意尊重、琉球・沖縄の言語や歴史、文化の、学校教育で教科書に盛り込むといった保護などを行うよう、繰り返し勧告している。これに対し、日本政府は、アイヌ民族は先住民族と認めたものの、琉球民族については認めていない。

◇◇

長した。5年後の1982(昭和57)年になっても反戦地主は存在し、政府は彼らの土地を米軍用地特措法によって、さらに5年間強制収容することとした。

これに対して、反戦地主を支援する「一坪反戦地主運動」が1982(昭和57)年6月に発足した。反戦地主の土地の一部を一人1万円ずつ拠出して購入し、持ち分登記して法的に反戦地主と同じ立場で彼らを支援しようとするものであった。

しかし、政府は1987(昭和62)年の収容期間満了に向け、さらに10年間の収容期間の延長を決めてゆく。そして1997(平成9)年、一坪反戦地主に対する強制使用手続きにおいて、当時の大田昌秀沖縄県知事は、折からの米兵による少女暴行事件の発生もあり、代理署名を拒否したのであった。その後の経緯については後述する(P72参照)。

■自衛隊の沖縄配備

沖縄は、歴史的に軍隊を持たない島であった。1817(文化14)年、琉球諸島周辺で調査航海を行ったイギリス軍艦「ライラ」のバジル・ホール艦長がこのことを知り、帰途立ち寄ったセント・ヘレナ島で、幽閉中のナポレオンに会見した時、「武器と戦争の無い島」を話題にして、ナポレオンを驚かせたという。

その沖縄に1972(昭和47)年の復帰と同時に自衛隊が配備された。日本に陸海空軍からなる自衛隊が創設されたのは1954(昭和29)年のことである。その頃、沖縄は米軍の施政下だったので、自衛隊が配備されることはなかった。

沖縄返還を確認した1969(昭和44)年の「佐藤・ニクソン共同声明」において、「復帰後の沖縄の局地防衛の政務を日本政府が負う」との取り決めがなされたのだ。これを受け、1971(昭和46)年6月29日、久保卓也防衛庁防衛局長とカーチス沖縄交渉団首席軍事代表との間に「日本国による沖縄局地防衛責務引受に関する取極」(久保・カーチス協定)が締結された。

この協定で、「返還の日の後6ヵ月以内に、日本国は3,300人に近い部隊を(沖縄

自衛隊配備反対闘争に集まる人々(那覇市歴史博物館 提供)

に）配置する」とされた。**1972（昭和47）年5月15日の施政権返還後、順次自衛隊の配備が始まり、陸上自衛隊第1混成団、海上自衛隊沖縄航空隊、航空自衛隊南西航空混成団が編成された。その後、1972年からの5年間を対象とした第4次防衛力整備計画（4次防）のもとで、沖縄の自衛隊兵力は増強されていく。**

自衛隊の導入に対し、沖縄の人々の反応は厳しかった。沖縄戦での日本軍の様々な行状はいまだ風化せず、「新日本軍の沖縄進駐」「沖縄派兵」などと表現された。沖縄返還協定で返還の対象となった米軍基地の多くはそのまま自衛隊の基地となり、地主のもとへ土地が帰ることはなかった。

さらに、2010（平成22）年12月17日に閣議決定された「新防衛計画大綱」及び「中期防衛力整備計画」において、「南西地域も含めた防衛態勢の充実」「島嶼部対応能力の強化」「基地共同使用の強化」が打ち出され、沖縄は米軍だけでなく自衛隊の基地新設にも直面することになった。

2019（平成31）年1月現在、沖縄県に配備された自衛隊の規模は、50施設、728.1ha、隊員数約7,700人となっている（沖縄県資料）。

■様々な密約

沖縄返還に当たって、アメリカは、ベトナム戦争を進める上で、日本本土の米軍基地よりも、自由に使える沖縄の基地への既得権を維持しようとし、また、当初は米軍基地の大幅縮小を望んでいた日本政府内にも、基地の縮小によって、有事の際の日本の安全保障に問題が生じるのを懸念する声が上がった。

その結果、沖縄返還の交渉において、日本はアメリカから数々の条件を飲まされることになる。「思いやり予算」に繋がる新たな経済負担や、沖縄・本土からベトナムへの出撃を容認するよう求められた。そして、核兵器の撤去についても密約が交わされた。

佐藤・ニクソン両首脳の署名入りの密約文書が、2009（平成21）年12月に佐藤邸で見つかった。それによると、アメリカが必要だと判断した時には、沖縄に核兵器を再び持ち込み、通過させ、また、当時の沖縄にあった核兵器貯蔵地である嘉手納、那覇、辺野古、ナイキ・ハーキュリーズ基地をいつでも使用できるよう維持し、重大な緊急事態の際に活用することを、事前協議制のもとで日本側が予（あらかじ）め認めるという内容であった。

また、施政権返還当日の5月15日に日米合同委員会で交わされた「5.15メモ」は、沖縄米軍基地の施設ごとに使用目的・条件などを取り決め、従来通りの使用を約束するものであった。

これ以外にも、沖縄返還に伴い、日本政府が米政府に対して、総額6億8,500万ドルを負担するという了解覚書が密かに交わされていた。

「情を通じた極秘情報入手」で話題になった西山事件は、当時の毎日新聞記者・西山太吉（たきち）らが、アメリカが地権者に対して支払うことになっていた土地原状回復費400万ドルを日本政府が肩代わりしてアメリカ政府に支払うという密約が交わされていた事実をスクープしたものであった。

沖縄の本土復帰は成ったが、「核抜き、

本土並み」は名ばかりで、沖縄の米軍基地の機能は維持され、そのための経費負担まで、日本は背負うことになったのである。

(13)ベトナム戦争終結と沖縄
～それでも減らない基地～

ニクソン米大統領は、ニクソン・ドクトリンに基づき、ベトナム戦争を終わらせるべく、北ベトナムとの和平交渉を進め、1973(昭和48)年1月、アメリカはベトナム戦争終結を約した「パリ協定」を、南北ベトナム、南ベトナム解放民族戦線と締結した。

交渉に当たった北ベトナムのレ・ドゥク・ト特別顧問とアメリカのヘンリー・キッシンジャー大統領補佐官にこの年ノーベル平和賞が送られたが、レ特別顧問は、ベトナムの統一が実現されていないことなどを理由に受賞を辞退している。

アメリカ軍はパリ協定に基づき、同年3月29日までに南ベトナムからの「名誉ある撤退」を完了した。1975(昭和50)年4月30日、北ベトナム軍によってサイゴンが陥落、ベトナムは統一されることになり、ベトナム戦争は終わりを告げた。

アメリカは歴史的敗北を喫したわけだが、この時のアメリカ大統領は、ウォーターゲート事件で失脚したニクソンの後を継いだジェラルド・R・フォードだった。

パリ協定が締結された1973(昭和48)年1月、日米は「関東平野空軍施設整理統合計画」、いわゆる「関東計画」について合意する。関東計画とは、1973(昭和48)年から向こう3年間で、関東平野にある米空軍基地を削減し、その大部分を横田基地に統合するとともに、立川飛行場など6つの基地を日本側に返還するという計画であった。

ベトナム戦争が終結に向かう間、日本本土では「関東計画」に基づき、米軍基地は縮小されたが、沖縄の米軍基地はほぼ維持された結果、さらに沖縄への米軍基地の集中が進んだ。全国の米軍基地(専用施設面積)に占める沖縄の割合は、1972(昭和47)年の本土復帰時点では58.58%であったが、1975(昭和50)年には73.25%に上昇している。

また、沖縄の米軍兵力の内容も変化した。陸軍の第1特殊部隊・第7心理作戦部隊が米本国に引き上げ、補給基地の整理・修理部門が廃止された。一方で空軍と海

ヘンリー・アルフレッド・キッシンジャー(Henry Alfred Kissinger、1923ー)(左)。フォード大統領(右)、ロックフェラー副大統領(中)とともに(1975年)

ジェラルド・R・フォード
(Gerald Rudolph Ford, Jr.、1913ー2006)

兵隊が増強された。タイや台湾から沖縄へ部隊が移転し、また、山口県の岩国基地からは第1海兵航空司令部が移された。沖縄の海兵隊は、1972（昭和47）年に1万6,000人だった兵力が、1975（昭和50）年には1万8,000人、1980（昭和55）年には2万人となり、陸軍に代わって使用基地を増大させた。

ベトナム戦争後、海兵隊は予算削減や存在意義が問われる中、組織防衛のため、グローバルな即応部隊として、生き残ろうとし、沖縄では太平洋地域だけでなく、中東などを含めた広範囲の危機に対応する役割を担うことが考えられた。

1978（昭和53）年1月、フォードに代わって米大統領に就任したジミー・カーターは、ベトナム戦争後の米国内の厭戦ムードや財政的制約を背景に、在韓米軍の地上兵力の撤退を打ち出した。沖縄の海兵隊も再編が進められ、欧州への移転も検討されるが、そうした中、日本政府内には沖縄から海兵隊が撤退するのではないか、という不安が広がった。

米国内では日米安保での日本の「ただ乗り」が批判されており、日本が抱く安全保障上の不安を利用するかたちで、カーター政権は、米軍駐留経費の負担を日本に要求した。そうして生まれたのが「思いやり予算」だが、これについては後述する（P69参照）。

（14）冷戦後の沖縄
～やっぱり減らない基地～

ベトナム戦争後も東西冷戦は続いた。「核抜き、本土並み」をうたった沖縄返還は、沖縄に核兵器が置けなくなったことにより、在日米軍に核戦略の根本的な見直しを迫った。

沖縄というアジア最大の核貯蔵庫を失った米軍は、日本列島を巨大な防衛ラインに仕立て、ソ連・中国に対抗しようとした。その戦略において主役となったのが、戦略型原子力潜水艦であった。海中静かに忍び寄り、突然核ミサイルを発射する原潜はソ連にとっても、またアメリカにとっても脅威だった。

対ソ強行路線を採るアメリカのロナルド・レーガン大統領は、オホーツク海に展開するソ連の原潜に対抗するため、1985（昭和60）年、本州北端の三沢基地に戦術核爆弾の運用が可能な（敵のミサイルを発射前に破壊する）F-16（戦闘機）を配備したのだった。

ところが、そのわずか4年後、冷戦は急転直下のごとく終わりを告げる。1989（平成元）年12月、アメリカのジョージ・H・W・ブッシュ大統領とソ連のミハイル・ゴルバチョフ書記長が、地中海のマルタ島で冷戦終結を宣言。そして、それから2年後の1991（平成3）年12月、大統領となっ

ロナルド・ウィルソン・レーガン
（Ronald Wilson Reagan、1911－2004）

「米軍施設/キャンプ・ハンセンと金武の集落（航空写真）」
（キーストンスタジオ蔵、那覇市歴史博物館提供）

1NF（中距離核戦力）全廃条約に署名するミハイル・セルゲーエヴィチ・ゴルバチョフ（Михаил Сергеевич Горбачёв、1931ー）（左）とロナルド・レーガン（右）（1987年12月）

ていたゴルバチョフが辞任し、アメリカの最大のライバルであったソ連は崩壊した。

冷戦の終結により、それまでの軍拡による財政圧迫に悩んでいたアメリカは、軍備削減の観点から、海外の駐留兵士を撤退させ、米軍基地も次々と撤退・縮小させた。在日米軍についても、空軍と海軍を維持する一方で、沖縄の海兵隊を削減し、「過剰な施設を返還する」方針を出す。

それに伴い、1990（平成2）年6月に北部訓練場や嘉手納弾薬庫の一部が返還され、1992（平成4）年5月にはキャンプ・ハンセンの都市型訓練施設の撤去や北部訓練場の一部返還が、日米両政府間で合意された。その結果、沖縄の米軍基地面積は、1989（平成元）年の250.62㎢から1995（平成7）年には244.47㎢に縮小し、兵力も3万人から2万7,000人に減少した。

しかし、日本政府内では、東アジアでは冷戦はまだ終結していないという考えから、在日米軍への抑止力としての期待があり、結局、沖縄の米軍基地の縮小は限定的なものに終わる。1991（平成3）年には、フィリピンからの米軍撤退に伴い、航空部隊が沖縄に移転、1992（平成4）年9

マルタ会談でのゴルバチョフ（手前左）とジョージ・H・W・ブッシュ（手前右）

湾岸戦争で出撃する米空軍機

月には、2,000人規模の第31海兵遠征部隊が編成され、キャンプ・ハンセンを拠点にアジア太平洋地域を巡回しながら、紛争対応することになった。

1993(平成5)年に始まる、北朝鮮の核開発疑惑に端を発した第1次朝鮮半島危機では、米軍は沖縄を含む在日基地を活用することを想定した。そうした中、1995(平成7)年2月に、ビル・クリントン米政権下のジョセフ・ナイ国防次官補主導による「東アジア戦略報告」(ナイ・レポート)が発表され、その中で今後もこの地域に10万人規模の体制を維持する方針を示した。

こうして、沖縄の米軍基地は、冷戦終結後かえって強化されることになった。

冷戦が終わると、皮肉にも、世界のあちこちで地域紛争が勃発しはじめる。在日米軍は、沖縄や本土の米軍基地からインド洋、アラビア海へと展開するようになる。1990(平成2)年8月2日のイラクのクウェート侵攻に対抗して始まった湾岸戦争では、米空母ミッドウェーが横須賀基地か

ウィリアム・ジェファーソン・クリントン(William Jefferson Clinton、1946ー)

ジョージ・ハーバート・ウォーカー・ブッシュ(George Herbert Walker Bush、1924-2018)

ジョージ・ウォーカー・ブッシュ(En-us-George Walker Bush.ogg George Walker Bush、1946-)

ら出撃し、アメリカ本土からの空母と共にイラク攻撃に参加した。

また、沖縄からは海兵隊が、第1海兵遠征軍の補強のため参戦し、戦後のイラク監視の航空作戦には、嘉手納基地から米戦闘機が参加した。湾岸戦争に続く、2001(平成13)年のアフガン戦争や2003(平成15)年のイラク戦争でも、沖縄の米軍は活動範囲を広げ、出撃している(イラク戦争では、米軍基地へのテロを恐れて、沖縄への修学旅行を見合わせる日本本土の学校が多かった)。

2001(平成13)年1月に誕生したアメリカのジョージ・W・ブッシュ政権は、ラムズフェルド国防長官の主導で、テロや大量破壊兵器の拡散を背景に、海外基地に依存しない機動力のある米軍の再編を目指した。

沖縄の基地についても日米で協議が行われ、2003(平成15)年11月に沖縄を訪れたラムズフェルドは、ヘリコプターに乗って、上空から普天間飛行場を見て、「世界一危険な米軍施設」と驚き、移転計画が進んでいないことに衝撃を受けたという。

2005(平成17)年から2006(平成18)年にかけて、在日米軍再編計画が合意され、沖縄の基地については、普天間飛行場の辺野古移設、海兵隊のグアム移転、キャンプ瑞慶覧や牧港補給地区といった嘉手納以南の基地返還などが決定した。なお、普天間飛行場移設問題については後述する(P73参照)。

しかし、その後北朝鮮の核実験やミサイル発射実験が頻発し、近年では、中国の政治、経済、軍事面での台頭が著しく、南シナ海や東シナ海への進出など中国の対外活動をめぐって、米中の対立が際立ってきている。

バラク・フセイン・オバマ2世
(Barack Hussein Obama II、1961－)

2009(平成21)年に発足したバラク・オバマ米政権も、当初は中国との協調路線を目指したが、しだいに中国への警戒心を強め、2017(平成29)年1月に大統領に就任したドナルド・トランプ(1946~)は、さらに反中国の姿勢を強めている。

日本政府も、尖閣諸島の問題などから、中国への対抗措置として沖縄を含む南西諸島に自衛隊の配備を進めており、核兵器を保有したと見られる北朝鮮への対応も含めて、沖縄は再び国際紛争の前線基地になろうとしている。

沖縄の米軍施設専用面積は、2016(平成28)年に北部訓練場の過半約4,000haが返還されたこともあり(もっとも、返還区域にあったヘリコプター着陸帯の、訓練場内への移設をめぐって、地元住民らによる新たな反対運動も発生した)、2017(平成29)年に初めて200㎢を下回ったが、全国の米軍基地に占める割合は依然7割を超える状態が続いている。

第六章 沖縄の基地問題

(1)日米地位協定(1960)と沖縄
～進まない改定作業～

1960(昭和35)年の新たな日米安保条約の成立に伴い、日本に駐留する米軍への対応を定めた「日米地位協定」が結ばれた。正式には「日米安全保障条約第6条に基づく施設及び区域並びに日本国におけるアメリカ合衆国軍隊の地位に関する協定」といい、旧安保条約締結の際に結ばれた「行政協定」を前身とするものであった。

行政協定は前述のとおり日本にとって不平等な内容を含み、それに対する日本国民の不満の高まりが安保条約の改定につながった面がある。ところが、新たに結ばれた日米地位協定にも、税の免除、排他的使用権、民事賠償権といった米軍の特権を認める不平等な内容が残されていたのである。

こうした問題点は、1972(昭和47)年の本土復帰後の沖縄にも大きくのしかかった。

■米軍関係者による傷害事件

沖縄県では、米兵による性犯罪が後を絶たない。1955(昭和30)年9月、嘉手納村で6歳の女の子が米兵に暴行、殺害され、犯人は米国へ逃亡した(由美子ちゃん事件)。その一週間後には9歳の女の子が米兵に暴行された。**1972(昭和47)年の本土復帰後も、2019(令和元)年末までに米軍関係者による刑法犯罪は6,029件発生している。**

1995(平成7)年9月には12歳の小学生が3人の米兵に暴行される事件が発生。

米兵の少女暴行事件をきっかけに開かれた沖縄県民総決起大会
(那覇市歴史博物館 提供)

沖縄県警は、米軍に容疑者の身柄引き渡しを要求するが、米軍側は日米地位協定第17条5(c)の規定に基づき、起訴されるまでは米軍側が身柄を拘束できるとして、容疑者の引き渡しを拒んだ。

こうした米軍側の措置に沖縄県民の怒りが爆発し、「島ぐるみ」の抗議運動が展開され、10月21日には、宜野湾(ぎのわん)海浜公園で「米軍人による少女乱暴事件を糾弾し日米地位協定の見直しを要求する沖縄県民総決起大会」が開催された。大会には約8万5,000人が参加し、①米軍人の綱紀粛正、②被害者に対する早急な謝罪と完全補償、③日米地位協定の早急な見直し、④基地の整理縮小促進が決議された。

1996(平成8)年9月8日、沖縄県で「日米地位協定の見直し」と「基地の整理縮小」について、県民投票が行われた。投票率は59.3%、双方への賛成は89.09%で、有権者の53.04%に及んだ。この結果を受け、当時の橋本龍太郎(りゅうたろう)首相は、「沖縄の痛みを国民全体で分かち合う」重要性を談話の中で強調した。

しかし、その後も米軍人による犯罪は

続き、2016（平成28）年4月には、女性が遺体で発見され、米軍属の男が死体遺棄、強かん致死及び殺人の容疑で逮捕・起訴され、沖縄県民の怒りが再燃した。

本土復帰までは、米兵らに対する裁判権はすべて米側が持っていた。復帰後は**日米地位協定第17条3(b)の規定により、米兵らが公務中に事件を起こした場合は米側に、公務外の場合は日本側に第一次裁判権があると定められているが、実際に日本の裁判所で裁かれることは稀なケースだといわれる。**

■米軍関係の事故・環境汚染

米軍による事故として、全国で起きているのが墜落事故だ。1968（昭和43）年6月、福岡市の九州大学キャンパス内に米戦闘機が墜落、炎上。1979（昭和54）年9月、横浜で米軍機が墜落、9人の死傷者が出た。1988（昭和63）年6月には、岩国基地のCH-53（航空機）が愛媛県の伊方（いかた）原子力発電所の近くに墜落した。

米軍基地の集中する沖縄では、当然ながら事故も頻発する。1959（昭和34）年には石川市（現・うるま市）にある宮森小学校に米軍戦闘機が墜落し、児童11人を含む17人が死亡、210人の重軽症者を出した。

1972（昭和47）年の本土復帰後も、

宮森小学校への米ジェット機墜落事故で、担架で運ばれる学童
（那覇市歴史博物館 提供）

日米地位協定17条（3項及び5項抜粋）

3 裁判権を行使する権利が競合する場合には、次の規定が適用される。

(a) 合衆国の軍当局は、次の罪については、合衆国軍隊の構成員又は軍属に対して裁判権を行使する第一次の権利を有する。

(i) もつぱら合衆国の財産若しくは安全のみに対する罪又はもつぱら合衆国軍隊の他の構成員若しくは軍属若しくは合衆国軍隊の構成員若しくは軍属の家族の身体若しくは財産のみに対する罪

(ii) 公務執行中の作為又は不作為から生ずる罪

(b) その他の罪については、日本国の当局が、裁判権を行使する第一次の権利を有する。

(c) 第一次の権利を有する国は、裁判権を行使しないことに決定したときは、できる限りすみやかに他方の国の当局にその旨を通告しなければならない。第一次の権利を有する国の当局は、他方の国がその権利の放棄を特に重要であると認めた場合において、その他方の国の当局から要請があつたときは、その要請に好意的考慮を払わなければならない。

5(c) 日本国が裁判権を行使すべき合衆国軍隊の構成員又は軍属たる被疑者の拘禁は、その者の身柄が合衆国の手中にあるときは、日本国により公訴が提起されるまでの間、合衆国が引き続き行なうものとする。

2019（令和元）年末までの47年間に、811件の航空機関連の事故が起こっている。2004（平成16）年8月、CH-53D型輸送ヘリコプターが宜野湾市の沖縄国際大学に墜落、炎上した。

2012（平成24）年10月に普天間飛行場に配備されたオスプレイ（MV-22）の事故も起こる。オスプレイは試行段階から事故が多く、アメリカでは「未亡人製造機」とまで呼ばれていた。沖縄への配備が決まると、反発の声が一斉に上がり、同年9月9日には、「オスプレイ配備に反対する県民大会」が開催され、約10万人が参加していた。

にもかかわらず、2014（平成26）年6月26日、岩国基地を発ち普天間基地に向かっていたMV-22が宮崎県小林市の上空で落雷に遭い、プロペラを破損。2016（平成28）年12月13日には、沖縄本島の東海上で空中給油訓練を行っていた海兵隊のMV-22が名護市安部近くの浅瀬に着水、機体は大破し2名が負傷した。

その後も米軍機の事故は続く。2017（平成29）年10月11日、CH-53Eヘリコプターが国頭郡東村高江に不時着、炎上。12月には、宜野湾市内の保育園に米軍ヘリの部品が落下、続いて普天間第2小学校に、やはり米軍ヘリの窓枠が落下した。

2018（平成30）年6月11日、F-15（戦闘機）が沖縄本島南部の海上に墜落。11月12日には、F/A-18（戦闘攻撃機）が、沖縄本島東側のホテル・ホテル米軍訓練区域の海上に墜落した。2020（令和2）年公開の映画『ちむりぐさ　菜の花の沖縄日記』（監督：平良いずみ）では、こうした事故の被害者の声を取り上げている。

米軍基地による環境汚染が地域に与える影響も大きい。沖縄では米軍の実弾による演習により、山火事がたびたび発生しており、その数は本土復帰の1972（昭和47）年から2019（令和元）年末までで622件に上っている。2020（令和2）年6月には、嘉手納基地での火災により、有毒の塩素ガスが発生した。

米軍鳥島射爆撃場では、1995（平成

垂直離着陸機能と高速長距離移動機能を兼ね備えた点が利点とされるオスプレイ（MV-22）（©OCVB）

7) 年12月から翌年1月にかけて、放射線を出す劣化ウラン弾の発射訓練が行われ、1996(平成8) 年3月には、返還された米軍恩納通信所からPCBや水銀、カドミュウムなどの有害物質が検出されている。

ほかにも、嘉手納弾薬庫返還跡地での六価クロム検出や、北浜町の基地跡でのタールの入ったドラム缶投棄、嘉手納基地内のため池への廃油投棄、キャンプ桑江やキャンプ瑞慶覧(ずけらん)などでの土壌汚染などが報告されている。

保健衛生関係では、2020(令和2) 年7月、沖縄の米軍基地内に新型コロナウィルスの感染が広がり、住民にも伝染して問題化した。沖縄県議会や多くの県内市町村議会において、在沖米軍に感染対策を求める意見書が可決される事態となった。

こうした事故や環境等の問題においても、日米地位協定の第3条(施設・区域における米国側の排他的使用権)などが壁となって、迅速な情報収集や十分な調査、原因究明、検疫などを行うことが困難な状況となっている(騒音問題についてはP72参照)。

■思いやり予算

「思いやり予算」とは、もちろん通称である。正式には防衛省予算に計上されている「在日米軍駐留経費」のことである。では、なぜ「思いやり」なのか。

1960(昭和35) 年に改定された日米安保条約の第6条で、日本は合衆国軍隊に国内における「施設及び区域」(基地)使用を認めた。同条に基づく日米地位協定の第24条では、①日本は施設及び区域を無償で米側に提供する②その維持に伴うすべての経費は米側が負担する、となっている。

中曽根 康弘(1918−2019)
出典：首相官邸ホームページ

ジェームズ・アール・カーター・ジュニア
(James Earl Carter, Jr.、1924−)

1977(昭和52) 年まではこの方式によって、運営されてきた。ところが、このころアメリカのカーター政権は、ベトナム戦争後の財政赤字に苦しみ、ドルの下落により基地関係の人件費の高騰や家族住宅の改修に対応できなくなり、日本側に負担を求めてきた。

米議会からは「安保ただ乗り」という対日批判が起こり、1976(昭和51)年の「日米安保協議委員会」で、日本は「給与その他労働条件に関する努力」を約束させられた(日本政府には、基地従業員の大量解雇や、唯一の在日米軍戦闘部隊である海兵隊の縮小を避けたい思惑があったとされる)。

本来なら日米地位協定の改定が必要であったが、米側は他の特権的な「地位」への波及を恐れ、あくまで、「地位協定の範囲内」での負担増にこだわった。

その結果、経費分担について、日本の「思いやり」によって日本側の負担割合を増やす方式が取られた。こうして、1978(昭和53) 年予算に駐留軍従業員の福利厚生費のうち、61億8,700万円が「地位協定の枠内」で計上され、いわゆる「思いやり予算」が誕生したのであった。この言葉を最初に使ったのは、当時の金丸信防衛庁長官だったといわれる。

1980年代に入ると、思いやり予算は、労務費本体や施設整備費全般にも及ぶようになり、なし崩し的に肥大化してゆく。1984（昭和59）年には693億円と初年の10倍以上となり、中曽根康弘首相時代に三沢基地に移駐するF-16（戦闘機）の経費の75%を日本側が引き受けると、1987（昭和62）年度には1,000億円を突破した。もはや、名目上「地位協定の範囲内」に収まらなくなり、負担増を裏付けるために日米間で「特別協定」が結ばれた。これにより、思いやり予算に「特別協定予算」が加算される。

冷戦が終わっても状況は変わらず、2005（平成17）年に始まった「在日米軍基地再編計画」に伴い、在沖海兵隊グアム移転で発生するグアムでの基地建設経費の一部を日本側が負担するようになった。思いやり予算の海外版の誕生であった。

2009（平成21）年に民主党政権が発足。野党時代には「思いやり予算の見直し」を掲げていた民主党だったが、事業仕分け

◇◇

●コラム　外国での地位協定

日米地位協定は、1960（昭和35）年の締結後、大きな問題を抱えながら、一度も改定されていない。では米軍基地を持つ、他の国ではどうなのか。実は、ドイツや韓国では改定を実現させている。ドイツでは、アメリカとの地位協定であるボン補足協定を3度も改定し、米駐留軍に対しても、ドイツの国内法を適用（日米地位協定では「尊重」）するほか、環境保全を目的とする詳細な規定が設けられている。

たとえば、ドイツの法律では死刑が廃止されていることから、駐留軍のドイツ国内での死刑執行を認めないことや、訓練の際にはドイツ当局の同意が必要とされ、駐留基地へのドイツ当局の立ち入りが認められるようになっている。また、韓国では、米兵容疑者を起訴前に引き渡した場合には、24時間以内に起訴しなければ釈放するという規定があったが、米兵による性犯罪が相次いだことから、米韓の合同委員会でこの規定は廃止された。

駐留負担に関しても、「思いやり予算」を設ける日本と他国とでは大きな差がある。日本における負担割合が約74.5%であるのに対し、韓国は約40%、ドイツは約32.6%、イタリアは約41%である（2002年）。

日本でも、前述のとおり2000（平成12）年8月に沖縄県の稲嶺恵一（1933～）知事が、相次ぐ米軍犯罪を背景に、日米地位協定改定案をまとめて日米政府に提出、2017（平成29）年9月には、翁長雄志（1950～2018）知事が前年に発生した米軍属による殺人事件や、オスプレイの墜落事故を踏まえ、17年ぶりに日米地位協定の見直し案を政府に提出した。

協定の「運用の改善」だけでは、アメリカ側に裁量を委ねる形となるため、問題解決には不十分という考えであったが、やはり同協定の改定は行われず、運用改善の段階にとどまっている。

◇◇

の対象とはしたものの、聖域を崩すことはできなかった。2010(平成22)年度の思いやり予算は、前年をやや下回ったものの、1,881億円に達している。

2020(令和2)年の思いやり予算は1,993億円とされるが、アメリカのトランプ政権は、日本政府に対し、50億ドル(約5,500億円)を要求したと伝えられる。それまでからトランプ大統領は、日米安保体制について「米国が攻撃されても日本は戦う必要がない」「(日本を守るため、)米国は多くの金を払っている」と繰り返していた。

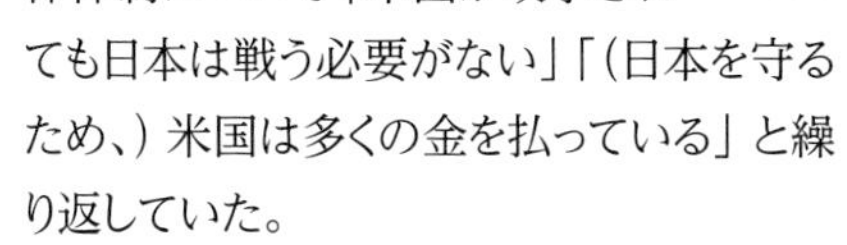

立川基地拡張に反対する抗議集団と警官隊

ともあれ、1979(昭和54)年に日本の「思いやり精神」で生まれた米軍駐留費の分担経費は、いまや日本の防衛費の大きな部分を占めるに至っている。

冷戦後も沖縄の米軍基地が、目に見えて減らなかった理由の一つは、思いやり予算の存在だといわれる。米軍駐留費の75%を日本に賄(まかな)ってもらえ、米国本土から出動するより安いコストで配備でき、しかも、米軍が必要と認めれば、いつでも出撃できる前方基地として使用できるので、撤退するのは勿体(もったい)ないというわけである。

(2)基地をめぐる訴訟

周辺住民に多大な被害を与えてきた米軍基地や駐留米国人に関して、これまでに全国で多くの裁判が起こされてきた。

■砂川基地訴訟

1957(昭和32)年7月8日、立川基地拡張に反対する抗議集団が数m基地内に入ったことが、旧安保条約3条に基づく行政協定に伴う刑事特別法により、「正当な理由なく米軍の基地内に立ち入る罪」とされ、起訴された事件の裁判である。

1959(昭和34)年3月30日の第一審判決(伊達(だて)判決)では、日米安保条約(旧)と、安保条約に基づき日本に米軍が駐留するのは、憲法9条2項違反とし、全員無罪となった。

これに対して、検察側は控訴せずに最高裁判所へ跳躍上告。同裁判所は同年12月16日、国家の自衛権を確認したうえで、第9条が禁止する戦力は、日本が主体となって指揮・管理権を有する戦力と解され、外国の駐留軍はこれに当たらないとして原判決を破棄、差し戻した。さらに、日米安保条約は高度に政治性を持ち、憲法違反かどうかは裁判になじまないとして判断を避けた(統治行為論)。

この事件は、8ヵ月という異例の速さで判決が下されたが、その背景には、1960(昭和35)年の日米安保条約改定前に違憲判決を破棄しようという政治的意図があったともいわれる。

市街地の中心を占拠する普天間飛行場(宜野湾市)(©OCVB)

■爆音訴訟

米軍機の爆音を巡って、各地で訴訟が行われてきた。米軍機の飛行による基地周辺での騒音レベルはすさまじく、2012(平成24)年5月21日から24日にかけて、厚木基地で米軍機による夜間離発着訓練(NLP)が実施されたが、大和市や綾瀬市などでは、ガードレール下の騒音に匹敵する110デシベルが観測され、周辺住民から3,000件以上の苦情が寄せられた。

本土の横田、厚木、小松、岩国のほか、沖縄の嘉手納、普天間でも爆音訴訟が起こされている。1982(昭和57)年2月、嘉手納飛行場周辺の住民が、米軍機の夜間飛行禁止や損害賠償などを求めて、国を相手に提訴した。

1998(平成10)年5月の控訴審判決(確定)では、総額13億7,300万円の賠償を認めたが、爆音の原因となる米軍機の飛行差止めについては、国にその権限はないとして、訴えが棄却された。

2002(平成14)年10月には、普天間飛行場周辺の住民が、国らを被告とする同様の訴訟を起こした。この訴訟の判決でも、賠償は認めたが、夜間離着陸の飛行差し止めや、騒音規制については棄却された。

嘉手納飛行場、普天間飛行場とも、その後も新たな爆音訴訟が行われているが、現在も騒音被害の改善は進まず、沖縄県と関係市町村が共同で実施している両飛行場周辺の2016(平成28)年度航空機騒音測定結果によると、32測定局のうち7局で環境基準値を上回っている。

■沖縄代理署名訴訟

沖縄県側が訴えられる裁判も起きている。1995(平成7)年9月、駐留軍用地特別措置法に基づく反戦地主に対する軍用地の強制収用にかかる手続きにおいて、当時の大田昌秀知事は、代理署名の拒否を表明したが、国は同年12月7日、大田知事に署名等の代行事務の執行を求めて提訴した。1996(平成8)年3月25日、第一審福岡高裁那覇支部は、大田知事に本件署名の執行を命じる。

大田知事は上告し、最高裁判所で「基地の重圧に苦しむわが県民の過去、現在の状況を検証され、憲法の主要な柱の一つとなっている基本的人権の保障及び地方自治の趣旨に照らして、若者が夢と希望を抱けるような、沖縄の未来の可能性を切り開くご判断を」と意見陳述を行った。

しかし、最高裁は同年8月28日、大田知事の上告を棄却。「米軍基地への土地の提供を定めた駐留軍用地特措法は憲法に違反せず、沖縄県への特措法の適用も憲法違反とはいえない。知事が署名を拒否し続ければ、日米安全保障条約及び日米地位協定に基づく国の義務が果たせなくなる。よって、知事の署名代行の拒否は、著しく公益が害されることが明らかである」として、大田知事に代理署名を命ずる判決を言い渡した。

(3) 普天間飛行場移設問題
～強行される辺野古新基地建設～

宜野湾市の真ん中にある普天間飛行場は、面積約4.8㎢で市域の25%を占め、周辺には学校、病院など120以上の公共施設がひしめく。米海兵隊のヘリコプター部隊が常駐し、52機の常駐機のほか外来機が頻繁に飛来するため、周辺住民は墜落の恐怖に怯(おび)え、騒音に悩まされ続けている。

1995(平成7)年11月、日米政府は「沖縄に関する特別行動委員会」(SACO)を設置し、米軍基地の諸問題について協議を始めた。**1996(平成8)年4月、橋本龍太郎首相とモンデール駐日大使は、5年から7年後の普天間飛行場の返還合意を発表したが、県内移設という条件が付いた。**狭い沖縄本島に大規模な航空基地を新設しない限り、普天間飛行場は返還できないことになった。

同年12月のSACOの最終報告では、普天間飛行場・読谷補助飛行場・那覇軍港など11施設5,002haの返還合意が発表されたが、普天間飛行場については、十分な代替施設が完成し、運用可能になった後、返還することとし、代替施設については、全長1,500mの「海上施設」を「沖縄本島の東海沖」に建設するものとされた。

1997(平成9)年11月、普天間飛行場の代替海上ヘリ基地の建設候補地を、名護市辺野古のキャンプ・シュワブ沖とする政府案が、県と名護市に示される。しかし、地元住民の反対が激しく、同年12月21日に実施された、海上ヘリ基地建設の是非を問う名護市住民投票では、反対票総数が52.85%を占めた。

1998(平成10)年の知事選で大田昌秀を破って当選した稲嶺恵一は、軍民共用、使用期限15年を条件に県内移設を受け入れ、移設先を名護市辺野古沖とした。辺野古沖の基地建設は、負荷の大きい埋め立てが必要であり、政府は埋め立てに向けた海上作業を強行したが、やはり住民の強い反対により、作業は進展しなかった。

様々な協議を経た後、**2006(平成18)年の日米政府による米軍再編合意で、辺野古V字型滑走路案が採用される。**同時に、辺野古移設が実現すれば、在沖海兵隊員8,000人をグアムへ移転し、嘉手納基地以南の米軍基地が返還されるということがセットで付けられた。この時期、アメリカがアジアの戦略拠点として重視していたグアムに、沖縄から海兵隊司令部を移転し、実戦部隊は残すことで、沖縄

橋本 龍太郎(1937−2006)
出典:首相官邸ホームページ

ウォルター・フレデリック・モンデール
(Walter Frederick Mondale、1928−)

の負担軽減と抑止力の維持の両立を図ろうとするものとされた。

辺野古V字型滑走路案とは、名護市辺野古のキャンプ・シュワブ沿岸部分を埋立て、1,800mのV字型の滑走路を2本建設するもので、V字型としたのは、飛行ルートが集落の上を通ることを避けてほしいという、名護市の要望に応えるためであった。しかし、沖縄県の稲嶺知事がこの案に難色を示したため、普天間飛行場の移設は再び頓挫してしまう。

2009（平成21）年9月に誕生した民主党政権は、「最低でも県外」の移設を目指したが、外務・防衛官僚らの強力な抵抗に遭い、鳩山由紀夫（1947～）首相は翌年、県内移設に回帰して、退陣を余儀なくされた。

2012（平成24）年4月の米軍再編計画の見直し合意において、辺野古移設は堅持されたが、海兵隊のグアム移転と嘉手納以南の基地返還とのパッケージはあっけなく解消された。

米国の議会では、グアムでの新基地建設やインフラ整備に予想以上のコストがかかることへの批判や、普天間飛行場の辺野古移設の実現性を疑問視する声、さらには、今や海兵隊に存在価値はあるのか、といった意見が上がっていた。

こうした米国内の批判をかわすため、パッケージの切り離しが行われたといわれる。沖縄の海兵隊1万9,000人のうち、9,000人がグアムだけでなく、ハワイ、オーストラリアにも分散配置されることになり、当初の計画では、移転するのは司令部要員だったが、見直しにより、陸上実戦部隊に変更された。

もともと沖縄県は、普天間飛行場の辺野古移転と切り離して、嘉手納以南の基地返還や海兵隊のグアム移転を進めるよう要請していたが、移転する部隊の変更は、日本政府が強調してきた海兵隊による「抑止力の維持」に逆行する内容であった。

2012（平成24）年12月、森本敏（1941～）防衛相は退任に当たり、沖縄の海兵隊について、「軍事的には沖縄でなくても良いが、政治的に考えると沖縄がつまり最適の地域である」と説明している。

2012（平成24）年12月、民主党に代わって発足した第2次安倍晋三（1954～）政権は、「唯一の解決策」として辺野古移設を進めていく。一方2014（平成26）年11月、「辺野古移設反対」をスローガンに、革新・保守両陣営を結集し、「オール沖縄」で知事選に挑んだ翁長雄志が、自民党推薦で現職の仲井眞弘多（1939～）に約10万票の差をつけて圧勝する。

2015（平成27）年10月、翁長沖縄県知事は、仲井眞前知事の行った、辺野古移設工事に向けた埋立て承認を取り消した。それに対して、国側は処分の撤回を求めたが、県が従わなかったため、翌2016（平成28）年7月、国は沖縄県を訴えた。

両者は法廷で争った結果、同年12月、最高裁は「普天間飛行場の騒音被害を除去するには、辺野古に新基地を建設するしかない」という一審福岡高裁那覇支部の判決を支持し、沖縄県の上告を棄却、沖縄県の敗訴が確定した。

その後も両者は対立し、平行線のまま、2018（平成30）年7月27日、翁長はすい臓がんで死去する。2ヵ月後の9月30日、翁長の死に伴う沖縄県知事選が行われ、翁長の後継として「オール沖縄」が擁立した玉城デニー(1959~)が39万7,000票を獲得し、自民党・公明党の支持を受けた佐喜眞淳を大差で破る結果となった。

玉城知事は2018(平成30)年8月31日、再び埋立て承認を撤回するが、国は承認撤回の執行停止を決定し、辺野古移設工事を継続。同年12月14日には辺野古への土砂投入を開始し、国と沖縄県の対立はますます深まった。

そうした中、2019(平成31)年2月4日に普天間飛行場の辺野古移設に伴う埋立ての賛否を問う県民投票が実施された。結果は、投票率は52.48%、そのうち「反対」が43万4,273票、「賛成」が11万4,933票、「どちらでもない」が5万2,682票で、「反対」は投票数の72%に上った。

なお、この県民投票の実現に向けて署名活動に尽力した若者たちを取り上げたドキュメンタリー映画『私たちが生まれた島~OKINAWA2018~』(監督:都鳥伸也)が、2020(令和2)年秋に公開された。

県民投票から1ヵ月後の2019(平成31)年3月16日には、辺野古新基地建設断念を求める県民大会が、約1万人が参加して開催され、沖縄県民は政府に対し、改めて「NO」を突き付けた。

また、**埋め立て予定地の大浦湾の海底に巨大な軟弱地盤が存在することが判明し、2019(令和元)年12月25日、政府は、この軟弱地盤の改良のため、7万本の杭を打ち込む必要があり、そのため移設工事は今後12年ほどかかり、工事費も当初の3倍近い約9,300億円に達すると発表した。**

2020(令和2)年6月、国は山口・秋田両県に配備を予定していた新型迎撃ミサイルシステム「イージス・アショア」の計画撤回を発表したが、その理由は、迎撃ミサイルを発射させる際に切り離されるブースターを演習場や海上に安全に落下させるためには、およそ10年の期間と2,000億円の費用がかかるためとされた。

上空から見た辺野古(キャンプシュワブ~大浦湾)(©OCVB)

これを受け、沖縄の玉城知事は、「アショアと同様に、相当なコストと期間を要する辺野古新基地計画を断念するよう、強く要望します」というコメントを出した。

辺野古・大浦湾周辺の海域には、ジュゴンをはじめとする絶滅危惧種262種を含む5,800種の生物が確認され、こうした貴重な自然が損なわれることを問題視する声もある。

2020(令和2) 年3月、国が採決で取り消した「埋立て承認撤回」の効力回復を県が求めた訴訟において、最高裁は県の上告を棄却する判決を出した。普天間飛行場の辺野古移設は多くの課題を抱えたまま、進行している。

(4)日米安保及び基地問題をめぐる日本の世論

これまで見てきたように、沖縄の基地問題は、日米安保条約に深く根差している。1960(昭和35)年の安保改定の際、労働者や学生、市民らによる激しい安保闘争に揺れる中、その是非について日本の世論は二分していた。

1970(昭和45) 年の安保延長でも全共闘 (全学共闘会議) らによる激しい反対運動が行われたが、東西の冷戦が厳しくなる1970年代以降、日米安保体制を肯定的に見る人が増え、世論調査でもその割合は6~7割を占めるようになった。

この傾向は、冷戦が終結しても変わらなかった。今や一部の党を除くほとんどの野党が日米安保条約を容認するか、あるいは積極的に認めている。2015(平成27) 年の安全保障関連法案の審議の際には、集団的自衛権の行使が憲法違反に当たるとして、SEALs, (自由と民主主義のための緊急学生行動) などによる大規模な抗議デモが国会前で行われ、注目されたが、現在の国民の日米安保条約に対する意識はどうなのか。そして、沖縄の基地問題に関しては?

直近の調査から、国民及び沖縄県民の意識を追ってみよう。

▼2017(平成29) 年度に内閣府が実施した「自衛隊・防衛問題に関する世論調査」のうち、「日本の防衛の在り方に関する意識」 調査では、1,671人から回答が得られ、次のような結果が報告されている。

①日米安全保障条約についての考え方

日米安保条約が日本の平和と安全に役に立っていると思うか、という問いに対して、「役立っている」 が29.9%、「どちらかといえば役立っている」が47.6%で、合わせて77.5%を占めた。

②日本の安全を守るための方法

日本の安全を守るためにどのような方法をとるべきだと思うか、という問いに対して、「現状どおり日米の安全保障体制と自衛隊で日本の安全を守る」と答えた者の割合が81.9%を占めた。

③日本が戦争に巻き込まれる危険性

現在の世界の情勢から考えて日本が戦争を仕掛けられたり、戦争に巻き込まれたりする危険があると思うか、という問いに対して、「危険がある」「どちらかといえば危険がある」が合わせて85.5%、「どちらかといえば危険がない」「危険はない」 が合わせて10.7%であった。

また、どうしてそう思うか、という問い

には、前者では「国際的な緊張や対立があるから」が一番多くて84.5%。後者では「日米安全保障条約があるから」が一番多く、44.4%だった。

④防衛問題に対する関心

防衛問題について関心を持っていることは、という問いには、「北朝鮮による核兵器及びサリンといった化学兵器の保有や弾道ミサイル開発などの朝鮮半島情勢」が68.6%で一番多く、「中国の軍事力の近代化や海洋における活動」(48.6%)、「国際テロ組織の活動」(39.7%)と続いた。

▼2017(平成29)年4月には、NHKが全国と沖縄県で「沖縄米軍基地をめぐる意識」について、電話による調査を行っている。対象人数は全国が1,624人、沖縄県が2,729人で、回答率はそれぞれ61.8%と55.5%だった。主な結果は次の通り。

①日米安全保障条約について

日米安保条約の重要度について、全国では「とても重要だ」が35%、「ある程度重要だ」が49%で合わせると83%であった。沖縄では「とても重要だ」が22%、「ある程度重要だが」が43%で合わせて65%であった。

②沖縄の米軍基地の必要性

日本の安全にとって、沖縄の米軍基地は必要か、という問いついては、全国では「必要だ」が21%、「やむを得ない」が50%で合わせて71%であるのに対し、沖縄では「必要だ」が11%、「やむを得ない」が33%で合わせて44%にとどまり、「かえって危険だ」29%を含む「否定」回答が48%を占めた。

③沖縄の米軍基地をどうすべきか

沖縄に集中する米軍基地をどうすべきか、に関しては、全国では「全面撤去すべきだ」が10%、「本土並みに撤去すべきだ」が46%で合わせて56%であるのに対し、沖縄では「全面撤去すべきだ」が26%、「本土並みに撤去すべきだ」が51%で合わせて76%を占めた。また、「現状のままでよい」が全国では33%だったのに対し、沖縄は15%と大きな差が出た。

④米軍基地をめぐる沖縄の扱い

米軍基地をめぐる沖縄の扱いについては、全国では「差別的だと思う」が17%、「どちらかと思うと差別的だと思う」が37%で合わせて53%であるのに対し、沖縄では「差別的だと思う」が36%、「どちらかと思うと差別的だと思う」が33%で、合わせて70%となり、大きな違いを見せた。

⑤辺野古への移設について

普天間基地の名護市辺野古への移設については、全国では「賛成」と「どちらかと言えば賛成」が合わせて47%で、「反対」と「どちらかと言えば反対」を合わせた37%を上回った。これに対し、沖縄では、「賛成」と「どちらかと言えば賛成」は合わせて27%で、「反対」と「どちらかと言えば反対」が合わせて63%で、全国とは逆の結果となった。

こうした調査の結果から見えてくるのは、まず、**日本の安全のために日米安全保障条約は役に立っており重要だという、全国レベルの認識である。しかし、沖縄の米軍基地の必要性については、全国レベルでは、辺野古への普天間基地移設に関し**

て見られるように、やむをえないとする意識も少なくない。一方、沖縄県民は、日米安保の重要性を認識しつつも、沖縄の米軍基地の必要性については否定的な見方が多く、また、本土との負担の不公平さを問題にしており、意識の違いが浮き彫りになっている。

(5) 基地問題をめぐる新たな動き

■続出する全国の自治体からの意見書

沖縄基地問題への一般国民の関心の低下が指摘される中、新たな動きも見られる。

2018(平成30)年7月、全国知事会(会長:上田清司埼玉県知事)は亡くなった翁長知事の遺志を受け、日米地位協定の抜本的な見直しを含む「米軍基地負担に関する提言」を全会一致で採択した。

提言では、沖縄県をはじめとする在日米軍基地に係る基地負担の状況を理解し、改善すべき課題について確認したうえ、「米軍基地は、防衛に関する事項であることは十分認識しつつも、各自治体住民の生活に直結する重要な問題であることから、何よりも国民の理解が必要であり、国におかれては、国民の生命・財産や領土・領海等を守る立場からも、以下の事項について、一層積極的に取り組まれることを提言します」として、次の4項目を挙げている。

1 米軍機による低空飛行訓練等については、国の責任で騒音測定器を増やすなど必要な実態調査を行うとともに、訓練ルートや訓練が行われる時期について速やかな事前情報提供を必ず行い、関係自治体や地域住民の不安を払拭した上で実施されるよう、十分な配慮を行うこと

2 日米地位協定を抜本的に見直し、航空法や環境法令などの国内法を原則として米軍にも適用させることや、事件・事故時の自治体職員の迅速かつ円滑な立入の保障などを明記すること

3 米軍人等による事件・事故に対し、具体的かつ実効的な防止策を提示し、継続的に取組みを進めること
また、飛行場周辺における航空機騒音規制措置については、周辺住民の実質的な負担軽減が図られるための運用を行うとともに、同措置の実施に伴う効果について検証を行うこと

4 施設ごとに必要性や使用状況等を点検した上で、基地の整理・縮小・返還を積極的に促進すること

全国知事会の提言は同年8月14日に日米両政府に伝えられたが、その後、この提言に賛同する意見書を採択する自治体が全国で相次ぐようになる。2020(令和2)年4月末現在、その数は、都道府県で北海道、岩手、静岡、長野、和歌山、奈良、佐賀、宮崎、沖縄の9件、市町村議会は札幌市、長野市、岩手県花巻市、山形県鶴岡市、福島県喜多方市、神奈川県鎌倉市、東京都小平市、大阪府茨木市、福岡県大牟田市、佐賀県武雄市など151件で、計160件に及んでいる。

また、**辺野古新基地建設工事の中止を提言する自治体も現れている。**

東京都の小金井(こがねい)市議会では、辺野古新基地建設工事を直ちに中止し、普天間飛

行場の代替施設が必要かどうか国民的議論を行い、代替施設が国内に必要という結論になるのなら、全国すべての自治体を等しく候補地とし、公正で民主的な手続きにより解決することを求める意見書が、東京都小平（こだいら）市議会では、沖縄だけに解決を迫るのではなく、代替施設が必要かどうかを含めて、国民的議論を行い、解決の道を探ることを求める意見書が、岩手県議会では、政府は、沖縄県民投票の結果を踏まえ、辺野古埋立て工事を中止し、沖縄県と誠意を持って協議を行うことを求める意見書が、それぞれ採択されている。

同様の意見書は、2019（令和元）年8月現在で、30の自治体で可決されており、基地の所在の有無にかかわらず、沖縄の基地問題を自分のこととして、意見表明する自治体が、全国に広がりつつある。

■基地の跡地利用計画

本土復帰前の沖縄は、米軍基地への経済的依存度が高く、基地関連収入は県民所得の3分の1を占めていた。しかし、復帰以降、3次にわたる沖縄振興開発計画及び沖縄振興計画の実施等により、経済振興が図られ、2015（平成27）年には、その割合は5%程度にまで低下している。

特に、観光リゾート産業の沖縄経済への貢献度は大きく、本土復帰の1972（昭和47）年に44万人だった沖縄への内外の観光客数は、2018（平成30）年には958万人にまで膨らんでいる。

人口密集地域である沖縄本島中南部などでは、市街地を分断する基地は、むしろ経済活動の制約となっており、沖縄県の調査によると、返還された軍用地では、その後の開発によって、返還前の基地関連収入に比べて数十倍の経済効果が生まれていることが明らかになった。

このインパクトは大きく、2015（平成27）年の沖縄県の試算では、中南部の要衝に位置する**普天間飛行場が返還されれば、跡地利用によって、32倍の経済効果が期待できるとして、沖縄県と宜野湾市は、国際交流と産業振興の拠点を置くべく、共同で計画を進めている。**

返還された牧港住宅地区の跡地に造成された那覇新都心（那覇市）（©OCVB）

おわりに

沖縄は、太平洋戦争で日本本土の防波堤として、米国との地獄のような地上戦を余儀なくされ、戦後は長く米軍の施政下にあって、本土からの米軍基地の移転・集中が進み、本土復帰後も状況は変わらず、基地に起因するさまざまな問題を抱えてきた。

本書は、そうした「沖縄の苦難」を、沖縄で観光やレジャーを楽しむ人たちや修学旅行生にも知ってもらおうと、著したものである。読者の中には、沖縄の窮状を改めて(初めて)知り、不条理感を募らせた方も多いと思う。では、現在も沖縄県民を悩ませる米軍基地は、どうやっても減らせないものなのだろうか。

世界に展開する米軍基地のうち、資産評価額が一番大きいのは日本で約776億ドル、2位のドイツ約518億ドル、3位の韓国約229億ドルを大きく引き離している(2016年)。そもそも、それだけの基地が日本に必要なのか。

近年の中国の軍事力強化や北朝鮮の核・ミサイル開発の状況を見るにつけ、在日米軍基地の増強に期待する向きもある。しかし、沖縄のように基地が集中すれば、それだけミサイル攻撃を受けやすく、脆弱性(ぜいじゃくせい)が高まるとする見方もある。

戦略的にも沖縄に展開する海兵隊は、兵力として本格的な戦闘には不十分であり、また、固定的な基地は政治的にコストが高く、軍事的にも脆弱であるので、分散した兵力配備や、有事の際の一時的なアクセス拠点の確保が重要である、と指摘するアメリカの専門家もいる。一方で、日本政府は米軍の地上部隊の撤退を恐れ、在沖海兵隊の「抑止力」としての必要性に固執しているように見える。

一旦設けられた米軍基地はなかなか撤去できないと思われがちだが、世界を見渡すと、ここ数十年で基地が無くなったり、大幅に縮小された国は決して少なくない。

オーストリア、アイスランド、モロッコ、チュニジア、エチオピア、エクアドル、ベネズエラ、ミャンマー、スリランカではすでに米軍基地は存在せず、ドイツ、イギリス、スペイン、ギリシャ、トルコなどは冷戦終結以後大幅に縮小している。

ちなみに、「自国第一主義を」掲げるトランプ米大統領は、2020(令和2)年7月末、ドイツのメルケル首相との不和から、「ペナルティー」と称して、3万6,000人の在独米軍部隊のうち、1万2,000人を削減すると発表した。

日本の安全保障をいかに進めていくかは、国が受け持つ重要課題だが、もちろん国民の理解が得られなければ、前へは進められない。だからこそ、普天間飛行場の移設問題についても、代替施設が本当に必要なのか、必要としてそれは沖縄でなければならないのか、といったことについての国民的な議論が必要だとする意見書が、全国の地方議会で続々と採択されているのだろう。

理想としては、基地に依存しない安全保障を構築していくことが望ましいに違いない。国家間の衝突を回避するうえで重要なのは、対話や信頼の醸成であり、そのために有効なのが経済・文化面での交流である、などとよく言われる。

そうであるなら、豊かな自然と文化に恵まれ、過去に「万国律梁」の国であった沖縄は、基地の島ではなく、東アジアの交流拠点として、地域の平和と繁栄に大きな役割を発揮する可能性を秘めているといえるだろう。

2020（令和2）年9月、安倍政権に代わって菅政権が誕生した。11月の米大統領選では、民主党のバイデン候補が現職で共和党のトランプ候補を破り当選した。本書の読者のみなさんが、少しでも沖縄の抱える問題に関心を持ち、日米の新たな政権が、その解決に向けてどう取り組んでいくのか、注視するとともに、自ら考えを巡らせていただければ、嬉しく思う。

＊

2020（令和2）年は、沖縄戦終了から75年の節目の年であったが、新型コロナ禍という思いもしない災厄に世界中が見舞われた。あらゆる恒例の行事が中止か縮小される中、沖縄「慰霊の日」の全戦没者追悼式も、出席者を約160名に限定して行われた。

しかし、式典において、沖縄県立高校の女子高生が読み上げた平和の詩「あなたがあの時」は強く心に響くものがあった。平和学習での聞き取りや戦時の避難壕に入った体験から生まれた、仲間とともに平和な世界をつくりあげていこうという決意が込められていた。

猫の目のようにくるくる変わる国際情勢にあって、国の安全保障を維持していくのは容易なことではない。だが、大切なのは、戦争という、人が人でなくなってしまう愚行を二度と起こさない、起こさせないという決意だろう。

日本、ドイツ、英国、イスラエルの中学生（世代）を対象に行ったある意識調査で、「国を守る良い戦争（正義の戦争）があると思うか」と尋ねたところ、日本が最も賛成が少なく、「どんな戦争にも反対」が8割を超えたのも日本だけだったという。

この結果を大変心強く感じるとともに、「どんな戦争も反対！」と叫ぶ若者たちが、世界中に広がるのを望まずにはいられない。基地が不要な平和な世界の創設も、新たな感染症の克服も、遠からず世界の若い世代に託さねばならないのだから。

最後になりましたが、那覇市歴史博物館様・一般財団法人沖縄観光コンベンションビューロー様はじめ、関連諸機関等多くの皆様より資料・写真のご提供等を賜りました。刊行にあたり、改めて厚く御礼申し上げます。

沖縄戦関連年表

1944(昭和19)年	
2月25日	米潜水艦、沖大東島を砲撃
3月22日	日本陸軍第32軍(沖縄守備軍)編成
7月7日	サイパン陥落。沖縄から南九州・台湾に10万人の緊急疎開計画決定
8月22日	学童疎開船「対馬丸」、米軍の攻撃を受け遭難。死者約1500人
10月10日	南西諸島、米軍による大空襲。那覇の90%が焼失
1945(昭和20)年	
1月3日	米軍機、宮古諸島・八重山諸島・沖縄本島を攻撃
1月20日	沖縄等を皇土防衛の前線とする「帝国陸海軍作戦計画大綱」策定
2月19日	沖縄県の中学校単位で防衛隊結成
3月初旬	第32軍による根こそぎ動員始まる(学徒隊・防衛隊など)
3月21日	大本営、硫黄島(現・東京都)の玉砕を発表
3月23日	米軍、沖縄本島への砲爆撃を開始
3月26日	米軍、慶良間諸島に上陸。住民の集団自決発生(犠牲者560名余)
4月1日	米軍、沖縄本島の読谷・北谷に上陸。日本軍の反撃なく、無血上陸
4月4日	米軍、石川市と恩納村仲泊を結ぶ地点に進出し、本島を南北に分断
4月5日～	本島中央部の嘉数高地などで、南下する米軍と迎え撃つ日本軍との間で40日に及ぶ激戦が始まる。
4月7日	沖縄海上特攻作戦の旗艦・戦艦「大和」、九州南方海域で撃沈される
4月13日	米軍、沖縄本島北端池戸岬に到達
4月16日	米軍、伊江島に上陸。21日に制圧
5月18日	米軍、首里西部・安里の52高地(シュガーローフ)占領
5月27日	第32軍司令部、首里城の地下壕から南部の摩文仁へ撤退開始
5月31日	米軍、首里城を占拠
6月11日	米軍バックナー軍司令官、牛島軍司令官宛に降伏勧告
6月13日	大田海軍司令官、豊見城で自決
6月18日	米軍バックナー軍司令官、糸満で戦死
6月18日	牛島軍司令官、最後の郡命令を発し、指揮を打ち切る
6月23日	牛島軍司令官、摩文仁の軍司令部で長参謀長らと自決
7月2日	米軍、沖縄作戦の終結を宣言。しかし、山岳地帯等での局地戦は続く
7月26日	米・英・中華民国によるポツダム宣言発表
8月6日	米軍機、広島へ原子爆弾投下
8月9日	米軍機、長崎に原爆投下。帰路、伊江島に立ち寄り給油
8月14日	日本、ポツダム宣言の受諾を決定
8月15日	終戦の玉音放送
8月29日	マッカーサー連合国軍最高司令官、沖縄に到着
9月2日	日本政府、東京湾の米韓ミズーリ号上で、降伏文書に調印
9月7日	南西諸島の守備軍、嘉手納基地で無条件降伏文書に調印
9月下旬	宮古諸島・八重山諸島の日本軍の武装解除

沖縄米軍基地関連年表

1945(昭和20)年	3月26日	米軍、慶良間諸島上陸に際し、「ニミッツ布告」第1号を公布
	4月1日	米軍、上陸後、嘉手納の北・中飛行場を占拠
	4月1日〜	米軍、沖縄の民間人を収容所に入れ、その土地を占拠して飛行場を建設
	5月14日	米軍、伊江島飛行場へ戦闘機部隊を配備
	7月2日	沖縄戦終了。沖縄の米軍基地から本土への爆撃が本格化する
	9月8日	マッカーサー占領軍最高司令官、東京へ進駐。GHQによる占領統治始まる
	10月23日	米総合参謀計画部、琉球諸島を「最重要基地地区」に分類
1946(昭和21)年	1月29日	GHQ、「若干の外部地域を政治上行政上日本から分離することに関する覚書」発令。沖縄を含む北緯30度以南が日本から分離
	4月24日	米軍政府指令により、沖縄民政府創設
	11月3日	日本国憲法公布(翌年5月3日施行)。沖縄は対象外。
1949(昭和24)年	5月	トルーマン米大統領、琉球の軍事施設を強化すべきという方針を承認
	10月27日	シーツ少将が軍政長官に就任。沖縄の恒久基地建設に着手
1950(昭和25)年	6月25日	朝鮮戦争勃発。沖縄の米軍飛行場、出撃基地となる
	8月14日	GHQの命により、警察予備隊が発足
	11月	奄美・沖縄・宮古・八重山の各群島に群島政府が発足
	12月15日	米軍政府が米国民政府に改編
1951(昭和26)年	9月8日	サンフランシスコ講和条約調印。日本本土は独立するも、沖縄は切り離され、引き続き米軍政下に置かれる
1952(昭和27)年	4月1日	琉球政府が発足
	12月25日	奄美大島返還
1953(昭和28)年	1月9日	映画「ひめゆりの塔」公開
	1月20日	米大統領にアイゼンハワー就任。「ニュールック政策」を提唱
	4月3日	米国民政府、布令第109号「土地収用令」を発布
	7月27日	朝鮮戦争の休戦成立
1954(昭和29)年	1月7日	アイゼンハワー米大統領、一般教養演説で、沖縄の無期限保持を明言
	3月17日	米国民政府、「軍用地料一括払いの方針」を発表
	7月1日	自衛隊創設
1955(昭和30)年	5月23日	4者協議会、「土地を守る4原則」を求め、渡米折衝(〜6月28日)
	7月	キャンプ堺から第3海兵師団第9海兵連隊が沖縄へ移る。以降、本土の海兵隊の沖縄移駐が進む
	7月21日	伊江島島民による「乞食行進」実施(〜1956年2月)
	9月4日	米兵少女暴行殺害事件(由美子ちゃん事件)
1956(昭和31)年	6月9日	プライス勧告が発表される
	6月20日	プライス勧告反対・軍用地4原則貫徹住民大会が開催される
1957(昭和32)年	11月〜	沖縄本島に8ヵ所、ナイキ・ハーキュリー(迎撃用ミサイル)の発射基地を建設
1958(昭和33)年	11月3日	米琉共同声明発表。軍用地問題終焉
1959(昭和34)年	6月30日	石川・宮森小学校ジェット機墜落事件
1960(昭和35)年	3月	県内にホーク・ミサイル用基地8ヵ所の建設発表
	4月28日	沖縄県祖国復帰協議会(復帰協)結成
	6月18日	日米安全保障条約自然成立
	6月19日	アイゼンハワー米大統領、沖縄訪問。復帰協、復帰請願デモ
1961(昭和36)年	3月	県内にメースB(攻撃型ミサイル)基地4ヵ所の建設発表
1962(昭和37)年	3月19日	ケネディ米大統領、沖縄についての新政策を発表
	10月	キューバ危機

1963(昭和38)年	3月5日	キャラウェイ高等弁務官、「自治神話論」演説を行う
1964(昭和39)年	8月	トンキン湾事件。以後アメリカ、ベトナムへ本格介入
1965(昭和40)年	2月8日	沖縄の米海兵隊航空ミサイル大隊、南ベトナムに派遣される
	8月19日	佐藤栄作首相が沖縄訪問(〜21日)
1967(昭和42)年	11月15日	佐藤・ジョンソン共同声明。沖縄返還について道筋示す
1968(昭和43)年	11月19日	嘉手納基地配備のB－52戦略爆撃機墜落炎上
1969(昭和44)年	7月25日	ニクソン米大統領、ニクソン・ドクトリン表明
	11月19〜21日	佐藤・ニクソン会談。1972年の沖縄返還決定
1970(昭和45)年	6月23日	日米安保条約自動継続
1971(昭和46)年	6月17日	沖縄返還協定締結
	6月29日	「久保・カーチス協定」締結。返還後の沖縄への自衛隊配備が決定
	12月30日	「公用地暫定使用法」成立
1972(昭和47)年	1月7日	佐藤・ニクソン共同声明。5月15日施政権返還で合意
	3月	西山事件
	5月15日	沖縄返還
	12月18日	沖縄振興開発計画(第1次)閣議決定
1973(昭和48)年	1月	ベトナム戦争終結を約した「パリ協定」締結
	1月	日米、「関東計画」合意
1975(昭和50)年	4月30日	サイゴン陥落。ベトナム戦争終わる
	7月20日	沖縄国際海洋博覧会開催(〜1976年1月18日)
1978(昭和53)年		「思いやり予算」始まる
1982(昭和57)年	2月26日	嘉手納基地爆音訴訟提訴
	6月	「一坪反戦地主運動」始まる
1989(平成元)年	12月	冷戦終結
1990(平成2)年	6月19日	日米合同委員会、沖縄米軍基地返還リスト(17施設、約1,000ha)発表
	8月2日	湾岸戦争勃発
1991(平成3)年	12月25日	ソ連崩壊
1992(平成4)年	5月	キャンプ・ハンセンの都市型訓練施設の撤去や北部訓練場の一部返還合意
	9月9日	第31海兵遠征部隊、沖縄で編成
1995(平成7)年	2月	「東アジア戦略報告」(ナイ・レポート)発表
	9月4日	米兵少女暴行事件
	9月28日	大田知事、代理署名拒否を表明
	10月21日	「米軍人による少女乱暴事件を糾弾し日米地位協定の見直しを要求する沖縄県民総決起大会」開催
	11月20日	「沖縄における施設及び区域に関する特別行動委員会」(SACO)設置
1996(平成8)年	4月12日	橋本・モンデール会談。普天間飛行場条件付き返還で合意
	12月2日	SACOの最終報告発表。普天間飛行場(移設条件付き)など11施設の返還合意
	8月28日	代表署名最高裁判決、沖縄県が敗訴
	9月8日	「基地の整理縮小」等についての沖縄県民投票実施
1997(平成9)年	1月	普天間飛行場の代替海上ヘリ基地の建設地について、名護市辺野古沖で日米合意
1998(平成10)年	2月6日	大田知事、海上ヘリポート案に反対表明
	8月	稲嶺知事、軍民共用・使用期限15年を条件に、普天間飛行場の名護市辺野古沖への移設を容認

1999(平成11)年	11月22日	稲嶺知事、普天間飛行場移設候補地を名護市辺野古沿岸域と発表
	12月28日	「普天間飛行場の移設に係る政府方針」閣議決定
2000(平成12)年	8月29日～	稲嶺知事が、日米地位協定改定案を政府に提出
2001(平成13)年	10月7日	アフガン戦争始まる
2003(平成15)年	3月20日	イラク戦争始まる
	11月16日	ラムズフェルド米国防長官、沖縄訪問
2004(平成16)年	8月13日	沖縄国際大学米軍ヘリ墜落事件
2006(平成18)年	5月1日	在日米軍再編合意。普天間飛行場の辺野古移設(V字案)、海兵隊のグアム移転、嘉手納以南の基地返還などが決定
	5月30日	「在日米軍の兵力構成見直し等に関する政府の取組みついて」閣議決定
2010(平成22)年	4月25日	「米軍普天間飛行場の早期閉鎖・返還と県内移設に反対し国外・県外移設を求める県民大会」開催
	5月28日	日米共同発表、辺野古移設合意(6月4日、鳩山内閣総辞職)
2012(平成24)年	9月9日	オスプレイ配備に反対する沖縄県民大会が開催
2013(平成25)年	2月22日	日米首脳会談で「普天間飛行場の早期移設」が合意
	3月22日	那覇防衛局、沖縄県に辺野古埋立てを申請
	12月27日	仲井眞知事、辺野古埋立て承認
2014(平成26)年	6月26日	普天間基地へ向かう米軍のオスプレイが落雷に遭い、プロペラ破損
	8月18日	辺野古海底ボーリング調査が開始
2015(平成27)年	10月13日	翁長知事、辺野古移設工事に向けた埋立て承認を取り消す
2016(平成28)年	12月13日	沖縄近海で訓練中の米軍オスプレイが浅瀬に着水、大破
	12月26日	翁長知事、最高裁の敗訴判決を受け、埋立て承認取り消し処分を取り消す
2017(平成29)年	4月25日	沖縄防衛局、辺野古護岸の造成工事に着手
	9月11日～12日	翁長知事が日米地位協定の見直し案を政府に提出
	10月11日	米軍ヘリが東村高江に不時着、炎上
2018(平成30)年	6月11日	米軍戦闘機(F－15)が沖縄本島南部の海上に墜落
	11月12日	米軍戦闘攻撃機(F/A－18)が沖縄本島東側の訓練区域の海上に墜落
	12月14日	政府、辺野古への土砂投入を開始
2019(平成31・令和元)年	2月4日	普天間飛行場の辺野古移設に伴う埋立ての賛否を問う沖縄県民投票実施
	3月16日	辺野古新基地建設断念を求める県民大会開催
	12月25日	政府、辺野古の軟弱地盤の対策のため、新基地建設は工期約12年、工事費9300億円に達すると発表
2020(令和2)年	7月10日	辺沖縄の米軍基地内で新型コロナウイルスの集団感染が発生したのを受け、沖縄県議会が、感染者のさらなる情報提供や米国から沖縄への兵士の移動中止を求める意見書を全会一致で可決。
	7月22日	玉城知事、防衛省沖縄防衛局が沖縄県に申請した辺野古沖のサンゴの移植について、農林水産相が許可するよう県に指示したのは違法だとして、指示の取り消しを求めて提訴

関係資料一覧

■参考・関連文献

前田哲男・林博史・我部政明『〈沖縄〉基地問題を知る事典』吉川弘文館 ――― 2013年
野添文彬『沖縄米軍基地全史』吉川弘文館 ――― 2020年
林博史『米軍基地の歴史』吉川弘文館 ――― 2012年
橋下徹『沖縄問題、解決策はこれだ！　これで沖縄は再生する。』朝日出版社 2019年
屋良朝博『沖縄米軍基地と日本の安全保障を考える20章』かもがわ出版 ――― 2016年
安里進・高良倉吉・田名真之・豊見山和行・西里喜行・真栄平房昭『沖縄県の歴史』山川出版社 ――― 2004年
梅田正己・松本剛・目崎茂和『新沖縄修学旅行』高文研 ――― 2013年
池宮城秀意『戦争と沖縄』岩波書店 ――― 1980年
大田昌秀『沖縄は主張する』岩波書店 ――― 1996年
豊下楢彦・北上田毅・吉川秀樹・大城尚子・豊田祐基子・沖縄対外問題研究会『沖縄を軍縮の拠点に』岩波書店 ――― 2000年
櫻澤誠『沖縄現代史』中央公論新社 ――― 2015年
吉浜忍・林博史・吉川由紀編『沖縄戦を知る事典　非体験世代に語り継ぐ』吉川弘文館 ――― 2019年
松岡哲平『沖縄と核』新潮社 ――― 2019年
岩波書店編『記録・沖縄「集団自決」裁判』岩波書店 ――― 2012年
玉城デニー『沖縄・辺野古から考える、私たちの未来』高文研 ――― 2019年
野添文彬『沖縄返還後の日米安保』吉川弘文館 ――― 2016年
沖縄県知事公室基地対策課編『沖縄の米軍及び自衛隊基地（統計資料集）』沖縄県知事公室基地対策課 ――― 2019年
川名晋史『基地の消長　1968－1973』勁草書房 ――― 2020年
保坂正康『太平洋戦争を考えるヒント』ＰＨＰ研究所 ――― 2014年
川満彰『陸軍中野学校と沖縄戦　知られざる少年兵「護郷隊」』吉川弘文館 ― 2018年
沖縄県知事公室基地対策課編『沖縄の米軍基地』沖縄県知事公室基地対策課 2018年
小川和久『フテンマ戦記　基地返還が迷走し続ける本当の理由』文藝春秋 ― 2020年
山城博治・北上田毅『辺野古に基地はつくれない』岩波書店 ――― 2018年
桐山節子『沖縄の基地と軍用地料問題　地域を問う女性たち』有志舎 ――― 2019年
沖縄タイムス社編集局『これってホント!?　誤解だらけの沖縄基地（日本語）』高文研 ――― 2017年
植村秀樹『暮らして見た普天間―沖縄米軍基地問題を考える』吉田書店 ――― 2015年
明田川融『沖縄基地問題の歴史―非武の島、戦の島（日本語）』みすず書房 ― 2008年
高良倉吉『沖縄問題―リアリズムの視点から（中公新書）』中央公論新社 ――― 2017年
屋良朝博『誤解だらけの沖縄・米軍基地』旬報社 ――― 2012年
前泊博盛『沖縄と米軍基地（oneテーマ21）』角川書店（角川グループパブリッシング）――― 2011年

前泊博盛・明田川融・石山永一郎・矢部宏治『本当は憲法より大切な「日米地位協定入門」』創元社——2013年
伊勢崎賢治・布施祐仁『主権なき平和国家　地位協定の国際比較からみる日本の姿』集英社クリエイティブ——2017年
吉田敏浩・新原昭治・末浪靖司『検証・法治国家崩壊:砂川裁判と日米密約交渉』創元社——2014年
矢部宏治・須田慎太郎『本土の人間は知らないが、沖縄の人はみんな知っていること—沖縄・米軍基地観光ガイド』書籍情報社——2011年
山内健治『基地と聖地の沖縄史』吉川弘文館——2019年
藤原書店編集部『「沖縄問題」とは何か　「琉球処分」から基地問題まで』藤原書店——2011年
久間章生『安保戦略改造論—在日米軍の存在は沖縄のため』創英社/三省堂書店——2012年
阿波連正一『沖縄の米軍基地過重負担と土地所有権』日本評論社——2017年
吉浜忍『沖縄の戦争遺跡—"記憶"を未来につなげる』吉川弘文館——2017年
NHKスペシャル取材班『少年ゲリラ兵の告白—陸軍中野学校が作った沖縄秘密部隊—』新潮社——2020年
NHKスペシャル取材班『NHKスペシャル　沖縄戦　全記録』新日本出版社——2016年
大田昌秀『沖縄—戦争と平和』朝日新聞社——1996年
林博史『沖縄戦が問うもの』大月書店——2010年
兼城一『沖縄一中鉄血勤皇隊の記録　証言・沖縄戦　上』高文研——2005年
兼城一『沖縄一中鉄血勤皇隊の記録　証言・沖縄戦　下』高文研——2005年
安斎育郎『悲劇の沖縄戦』新日本出版社——2019年
八原博通『沖縄決戦　高級参謀の手記』中央公論新社——2015年
ジェームス,H,ハラス・猿渡青児『沖縄　シュガーローフの戦い　米海兵隊地獄の7日間』潮書房光人新社——2020年
外間守善『私の沖縄戦記　前田高地・六十年目の証言』角川学芸出版——2012年
一ノ瀬俊也『特攻隊員の現実（講談社現代新書）』講談社——2020年
三荻祥・伊藤陽夫・嶺井政治『沖縄戦跡・慰霊碑を巡る』明成社——2014年

■参考映画

『ドキュメンタリー沖縄戦—知られざる悲しみの記憶』太田隆文監督——2019年
『沖縄スパイ戦史』三上智恵・大矢英代監督——2018年
『ちむりぐさ　菜の花の沖縄日記』平良いずみ監督——2020年
『私たちが生まれた島～OKINAWA2018～都鳥伸也監督——2020年

●著者プロフィール
鳥越一朗（とりごえ・いちろう）
作家。京都府京都市生まれ。
京都府立嵯峨野高等学校を経て京都大学農学部卒業。
主に歴史を題材にした小説、エッセイ、紀行などを手掛ける。

○主な著書
～京都歴史ロマン～一千年の恋人たち
平安京のメリークリスマス
麗しの愛宕山鉄道鋼索線
京都大正ロマン館
電車告知人—明治の京都を駆け抜けた少年たち
京都一千年の恋めぐり
茶々、初、江 戦国美人三姉妹の足跡を追う
平清盛を巡る一大叙事詩「平家物語」の名場面をゆく
ハンサム・ウーマン新島八重と明治の京都
絶対絶対めげない男　黒田官兵衛の行動原理
恋する幸村～真田信繁(幸村)と彼をめぐる女たち～
天下取りに絡んだ 戦国の女　政略結婚クロニクル
杉家の女たち～吉田松陰の母と3人の妹～
おもしろ文明開化百一話～教科書に載っていない明治風俗逸話集～
1964 東京オリンピックを盛り上げた101人～今蘇る、夢にあふれた世紀の祭典とあの時代～
明智光秀劇場百一場～「本能寺」への足取りを追う～
京都源平地図本—平清盛・平家年表付
レトロとロマンを訪う 京都明治・大正地図本 近代建築物年表付
～信長・秀吉・家康の時代を生き抜いた～軍師官兵衛戦跡地図本
『ノーモアヒロシマ』伝えていこう！平和（編集協力）

写真協力　沖縄コンベンションビューロー（OCVB）、那覇市歴史博物館
表紙写真　久米島を俯瞰（©OCVB）

「オキナワの苦難を知る」伝えていこう！平和
～沖縄平和学習に向けて読む本～

定価　本体 680 円＋税
第 1 版第 1 刷
発行日　2021 年 1 月 1 日
著　者　鳥越一朗
編集協力　ユニプラン編集部
デザイン　岩崎宏
発行人　橋本良郎
発行所／株式会社ユニプラン
〒 601-8213 京都府京都市南区久世中久世町 1-76
TEL. 075-934-0003
FAX. 075-934-9990
振替口座／ 01030-3-23387
印刷所／株式会社プリントパック
ISBN978-4-89704-522-1　C0030